*Über dieses Buch* »›Die deutsche Sprache‹, ›Deutsch‹ – das klingt einheitlich, verbindlich, normiert. Man sieht die Grammatik im Hintergrund, ein festes Gerüst von Regeln, an denen sich nicht rücken läßt, eine streng fixierte Struktur. Zweifellos gibt es das – sonst gäbe es nicht diese Bezeichnung ›Deutsch‹, und sonst gäbe es keine Sicherheit der Verständigung. Aber Verständigung reicht ja nicht immer gleich von der Elbe bis zum Rhein. Verständigung, zumal in gesprochener Sprache, erfolgt sehr oft unter wenigen, in kleinen Gruppen, in begrenzten Regionen. Und diese kleinen Gruppen haben oder schaffen sich ihre eigenen sprachlichen Normen, ihre eigenen Sprachen. Von diesem ›Deutsch‹ ist hier die Rede, von der Mannigfaltigkeit der Sprachen innerhalb unserer Sprache, von der Vielfalt der Kommunikationsmöglichkeiten und -bedingungen.«

*Der Autor* Hermann Bausinger, 1926 in Aalen/Wttbg. geboren, wandte sich nach dem Studium der Germanistik volkskundlichen Forschungen zu. In seinen Arbeiten sucht er soziologische Fragestellungen und Methoden auf traditionell von der Philologie beherrschten Gebieten fruchtbar zu machen. Bausinger lehrt, seit 1960 als ordentlicher Professor, an der Universität Tübingen; er leitet dort das Ludwig-Uhland-Institut für empirische Kulturwissenschaft.

Hermann Bausinger

# Deutsch für Deutsche

## Dialekte
## Sprachbarrieren
## Sondersprachen

Fischer Taschenbuch Verlag
Originalausgabe
in Zusammenarbeit mit der TR-Verlagsunion München
1.–15. Tausend: Februar 1972
16.–23. Tausend: September 1972
24.–30. Tausend: April 1973
31.–35. Tausend: Juli 1975
36.–40. Tausend: Dezember 1976
erweiterte Ausgabe:
41.–45. Tausend: Juni 1978
aktualisierte Neuausgabe:
46.–53. Tausend: Januar 1984
Umschlagentwurf: Jan Buchholz/Reni Hinsch
Fischer Taschenbuch Verlag GmbH, Frankfurt am Main

Druck und Bindung: Clausen & Bosse, Leck
Printed in Germany
780-ISBN-3-596-26491-X

# Inhalt

# Einleitung: Deutsche Sprache — deutsche Sprachen

*Die deutsche Sprache, Deutsch* — das klingt einheitlich, verbindlich, normiert. Man sieht die Grammatik im Hintergrund, ein festes Gerüst von Regeln, an denen sich nicht rücken läßt, eine streng fixierte Struktur. Zweifellos gibt es das — sonst gäbe es nicht diese Bezeichnung *Deutsch*, und sonst gäbe es keine Sicherheit der Verständigung. Aber Verständigung reicht ja nicht immer gleich von der Elbe bis zum Rhein. Verständigung, zumal in gesprochener Sprache, erfolgt sehr oft unter wenigen, in kleinen Gruppen, in begrenzten Regionen. Und diese kleinen Gruppen haben oder schaffen sich ihre eigenen sprachlichen Normen, ihre eigenen Sprachen. Von diesen *›Deutschs‹* soll hier die Rede sein, von der Mannigfaltigkeit der Sprachen innerhalb unserer Sprache, von der Vielfalt der Kommunikationsmöglichkeiten und -bedingungen.

Es ist gewiß keine Pioniertat, die Frage so zu stellen; unsere Literaturhinweise — die immer nur eine kleine Auswahl bieten — deuten an, wie viele Untersuchungen es auf diesem Gebiet schon gibt. Ihre Zahl ist aber doch merkwürdig klein, wenn man sie mit der Flut anderer sprachwissenschaftlicher Veröffentlichungen vergleicht; und tatsächlich befinden sich die meisten derartigen Untersuchungen außerhalb des Horizonts, mit dem moderne Sprachwissenschaft vielfach umschrieben wird. Einen wichtigen Einsatzpunkt in der Entwicklung moderner Sprachwissenschaft bildet die Theorie, die der Genfer Linguist Ferdinand de Saussure Ende des letzten Jahrhunderts vortrug. Er trennte Sprachgeschichte und Sprachbeschreibung und legte auf diese das Hauptgewicht: Sprache sollte nicht mehr in erster Linie als Ablauf einzelner lautlicher Veränderungen verstanden werden, sondern als funktionierendes System. Dies scheint zunächst auf unsere Fragestellung zuzuführen; aber de Saussure betont die Geschlossenheit des Zeichensystems, den wechselseitigen Zusammenhang aller Teile, kurz: es geht ihm um *die Sprache* als Ganzes, die er von der *Rede,* von den einzelnen Akten der Verwirklichung, unterscheidet. Sprache gilt ihm als »das Soziale«, Rede ist demgegenüber individuell; Sprache ist »das Wesentliche«, das vom »mehr oder weniger Zufälligen« des Sprechens, der Rede, abgesetzt wird.

Die Sprache existiert unabhängig von der sprechenden Person; sie ist dieser als allgemeiner Sprachbesitz vorgegeben. Dieser Gedanke setzt sich in jüngeren Theorien fort, etwa im Begriff der »Kompetenz«, des Sprachvermögens, das aufgrund eines vorgegebenen Regelsystems beliebig viele Sätze in einer Sprache zu erzeugen vermag, während demgegenüber »Performanz« die tatsächliche Äußerung einer begrenzten Zahl bestimmter Sätze ist. Auch hier gilt Performanz vielfach als mehr oder weniger zufällige Bewegung in dem Spielraum, den der allgemeine Sprachbesitz gewährt.

Sieht man Akte des Sprechens allein unter dem Gesichtspunkt der *Sprache* – vielleicht sollte man betonen: *der* Sprache –, so mag jene Einteilung in wesentlich und zufällig einigermaßen bündig sein und einleuchten. Geht man jedoch mit sprach*soziologischer* Perspektive an die Sprachwirklichkeit heran, so kehrt sich das Verhältnis nahezu um. Das Ganze der Sprache ist dann einigermaßen beliebig, zufällig; was dagegen für den strengen Sprachwissenschaftler »freie Variation« ist, erscheint nunmehr nicht frei, sondern strikt definiert durch eine Anzahl beschreibbarer Bedingungen. Wenn sich in einer Wahlversammlung Herr Schulze, kleiner Angestellter in einer niederdeutschen Mittelstadt, zu Wort meldet und seine Argumente mit *plattdeutschem Einschlag,* mitunter etwas stammelnd, mit nicht immer ganz korrektem Fremdwortgebrauch vorträgt – dann interessiert mich nicht der »allgemeine Sprachbesitz«, interessieren nicht die »unendlich vielen Sätze«, die er theoretisch bilden könnte; mich interessiert, warum er so und nicht anders spricht, und ich füge hinzu: warum er zumindest in dieser Situation nicht anders sprechen *kann.*

Gelegentlich werden festere Formen der sprachlichen Verwirklichung unter den Begriff des Sprach*stils* gefaßt, und manche der im folgenden behandelten Gegenstände fallen in das Gebiet der Erforschung von Sprachstilen. Aber auch der Begriff Sprachstil bleibt auf das Ganze *der* Sprache bezogen und erweckt den Eindruck, hier werde in mehr oder weniger freier und bewußter Auswahl über den allgemeinen Sprachbesitz verfügt. Davon aber kann nur sehr begrenzt die Rede sein. Was auf einem bestimmten sprachlichen Niveau und in einer bestimmten sprachlichen Art und Weise geäußert wird, ist durch soziale Bedingungen vielfach so stark bestimmt, daß es nur so und nicht anders vorgebracht werden kann. Es ist auch keineswegs immer für alle Teilhaber am »allgemeinen Sprachbesitz« verständlich; und gerade wenn Verständlichkeit als grundlegendes Merkmal für eine gemeinsame Sprache genommen wird, erscheint es mir akzeptabel, den Ausdruck Sprachstile in den meisten Fällen durch *Sprachen* zu ersetzen. Auch von subkulturalen Sprachen oder kurz von Subsprachen könnte gesprochen werden.

Praktisch geht es um die Sprachen einzelner Landschaften, um den Einfluß der sozialen Position auf den Sprachgebrauch und die Herausbildung von Gruppensprachen, um Fachsprachen, Jargons, ideologische Sondersprachen. Die Kapitelfolge orientiert sich an den Themen und Gegenständen der Sendereihe des Westdeutschen Fernsehens: einzelne Beispiele und Aspekte schließen sich unmittelbar an die Filme an, aber auch darüber hinaus ist das Büchlein der Arbeit von *Richard Mautz* und dem Team des WDR verpflichtet. Andererseits handelt es sich aber keineswegs um einen bloßen Begleittext zu den Sendungen, sondern um eine selbständige Einführung, die vieles, das in den Filmen und im Moderationstext nur angedeutet werden konnte, in den größeren wissenschaftlichen Zusammenhang zu stellen sucht. Die Abhandlungen sind nicht vom Ehrgeiz bestimmt, der Forschung bis in die letzten Verästelungen hinein zu folgen; aber sie verzichten auf die Darstellung wirklich wesentlicher Probleme auch dann nicht, wenn dies in Schwierigkeiten des Verständnisses hineinführt: Auch einem größeren Publikum ist meines Erachtens mit allzu wohlfeiler Simplifizierung komplizierter Fragen nicht gedient.

## Landkarte der deutschen Sprache

Seit es Mundartforschung gibt, ist sie begleitet von der Klage, bald werden keine Dialekte mehr zu hören sein – deshalb gelte es, schnell noch zu sammeln und zu registrieren, was dem Untergang geweiht sei. Heute erscheint diese Feststellung besonders plausibel. Während früher (und das heißt hier: bis vor wenigen Jahrzehnten) beispielsweise ein Bauer in allen ihn wirklich betreffenden Umständen gut und gerne mit dem Dialekt zurechtkam, gerät heute jeder in Situationen, in denen der Dialekt nicht ausreicht. Dies gilt nicht nur im Hinblick auf die Massenmedien; auch andere Ursachen haben die Kommunikation weiträumiger gemacht. Bildungsinstitutionen und Verwaltungsinstanzen greifen immer stärker ins alltägliche Leben ein; im Bereich von Produktion und Konsum herrscht eine standardisierte Sprache; die räumliche Mobilität, d. h. wörtlich die Beweglichkeit des einzelnen ist gewachsen. Besonders drastisch hat sich die Bevölkerungsbewegung ausgewirkt, die eine Folge des Zweiten Weltkriegs war: sie hat nicht nur den früheren östlichen Dialekten (ostpreußischen und pommerschen, schlesischen, sudetendeutschen, donauschwäbischen usf.) die Möglichkeit des Fortbestehens genommen, sondern auch die Sprache in den Zuwanderungsgebieten beeinflußt.
Die Art dieser Beeinflussung macht allerdings deutlich, daß die These vom *Ende der Dialekte* nach wie vor problematisch ist. Auf der einen Seite führte das Zusammentreffen einer großen Zahl von Umsiedlern mit der einheimischen Bevölkerung dazu, daß die Funktion der einheimischen Dialekte beschnitten wurde; in vielen Fällen, in denen vorher die Mundart ausgereicht hätte, war jetzt die Schriftsprache oder mindestens eine gehobene Sprachform nötig. Die Dialekte der Zuwanderer aber waren diesem Ausgleichsprozeß sehr viel entschiedener unterworfen als die einheimischen Mundarten; diese behielten einen großen Teil ihrer alten Geltung, so daß sich die Zuwanderer, wollten sie sich wirklich in ihre neue Umgebung einfügen, auch deren regionale Sprache aneignen mußten. Die Alten taten das nicht mehr; aber Kinder und Jugendliche paßten sich erstaunlich schnell an. Anläßlich einer Tonbandaufnahme im Jahre 1955 bei einer ungarndeutschen Familie forderte der Vater den 7jährigen Sohn auf, doch auch etwas ins Mikrophon zu sprechen. Dieser zögerte einen Moment, dann stellte er die Frage: *Soll i schwätze', soll i sõge' oder soll i spreche!?* Das »sprechen« bezog sich auf die gehobene Ausgleichs- oder Ausweichsprache,

»sagen« auf den bairischen Heimatdialekt der Eltern, das an erster Stelle genannte »schwätzen« dagegen auf die schwäbische Mundart der Spielkameraden. Der kleine Junge verfügte also bewußt über drei verschiedene Möglichkeiten; und darunter war und blieb der schwäbische Umgangston seiner Altersgenossen die wichtigste.
Streiten läßt sich freilich darüber, ob es sich bei den landschaftlichen Sprachen, die sich auch bei einem Großteil der jüngeren Zuwanderer und vor allem ihrer Kinder durchgesetzt haben, um Dialekte im alten Sinne dieses Wortes handelt. Ulrich Engel hat den Sprachwissenschaftlern vorgeworfen, sie »retteten« die alten Dialekte dadurch immer wieder, daß sie ständig etwas anderes unter diesem Wort verstünden. Tatsächlich sind besonders auffällige eng-lokale Eigenheiten ja vielfach verschwunden, und es gibt kaum mehr Menschen, die sich ausschließlich im Dialekt bewegen. Wenn also Dialekt eine Sprache mit auffallenden örtlichen Besonderheiten ist, die den meisten Ortsbewohnern für die Verständigung vollständig ausreicht, dann ist der Begriff in der Tat fragwürdig geworden. Doch Engels Vorwurf läßt sich umkehren: indem der Begriff Dialekt strikt auf eine historische Erscheinungsform festgelegt wird, läßt sich leicht das Ende der Dialekte behaupten. Wenn aber etwas allgemeiner unter Dialekt eine regional verbreitete Sprache mit eigenen Strukturmerkmalen verstanden wird, dann hat es nach wie vor seinen guten Sinn, von Dialekten zu reden und eine Landkarte der deutschen Sprache zu entwerfen.
Wahrscheinlich hat man den Dialekt allzu ausschließlich als Relikt und das hieß vielfach: als Hilfsmittel bei sprachgeschichtlichen Fragestellungen aufgefaßt. Bis in die Gegenwart herein wurden bei Mundartuntersuchungen stets die ältesten Männer und Frauen als Gewährsleute herangezogen. Auch als die umfangreichen Fragebogen zum Deutschen Sprachatlas verschickt wurden, war die Aufforderung damit verbunden, den Antworten die Auskünfte der ältesten Einwohner zugrunde zu legen. Zwei Bürgermeister schickten damals den Fragebogen mit der Bemerkung zurück, eine Beantwortung sei ausgeschlossen, da die ältesten Einwohner des Orts vor kurzem verstorben seien. Dies war gewiß eine Schildbürgerauskunft – aber sie lag auf der Linie der Befragungsmethode, die von der Erwartung ausging, daß die Mundart mit den alten Leuten zu Grabe getragen werde.
Sprachstatistische Erhebungen haben ergeben, daß die Generation der Alten tatsächlich ausgeprägtere Mundart spricht als die mittlere Generation. Aber nur teilweise scheint sich darin ein konsequenter allgemeiner Rückgang des Dialekts anzudeuten, denn man hat auf der anderen Seite festgestellt, daß auch Kinder und Jugendliche eher Dialekt sprechen als die jüngeren

Erwachsenen. Dies widerspricht dem simplen Modell linearen Dialektverlusts; zur Erklärung müssen *Gebrauchs*funktion und *Prestige*funktion der jeweiligen Sprache in ihrem gegenseitigen Zusammenhang herangezogen werden. Bei den Kindern hält sich der Dialekt als die Sprache der Alterskameraden und der Spielkreise, auch und gerade gegen die andressierte Schulsprache. Sobald dialektfreies Sprechen entschiedener in die Vorschulerziehung hineingetragen und vom Elternhaus mitpropagiert wird, geht der Dialektgebrauch zurück; diese Entwicklung wurde – und zwar in erstaunlicher Geschwindigkeit – für die DDR nachgewiesen, sie kündigt sich inzwischen auch in der Bundesrepublik an. Der Rückgang des Dialekts bei den mittleren Jahrgängen hängt mit dem Berufsleben zusammen, das zwar nicht in allen, aber doch in vielen Fällen eine Erweiterung des Kommunikationsradius mit sich bringt. Damit ist indirekt auch der ›Rückfall‹ in den Dialekt bei den Alten erklärt: Sie treten aus dem weiteren Kommunikationszusammenhang heraus und kehren in einen sehr viel engeren Zirkel zurück. Neben dieser sozialen Ursache ist auch noch an einen psychischen Zusammenhang zu denken, an die »Regression« auf die früheren Phasen des Lebens, die sich nicht nur in pathologischen Extremen äußert, sondern als völlig normale Entwicklung angesehen werden muß.

Bei all diesen Erklärungen und Überlegungen spielt das hohe Alter der Mundart höchstens indirekt eine geringfügige Rolle — insofern aus diesem Alter ein Wert der Mundart abgeleitet wird, der zu ihrem populären Prestige beiträgt. Die positive Betonung des Alters der Dialekte ist, schlagwortartig gesagt, eine ›romantische‹ Erkenntnis, die sich gegen eine frühere Auffassung wandte, welche in den Mundarten mehr oder weniger verderbte Hochsprache sah. Tatsächlich sind die modernen Hochsprachen erst spät entstanden; sie setzen eine gewisse kulturelle Zentrierung schon voraus. In diesem Zusammenhang wird gelegentlich jenes drastische Beispiel erwähnt, nach dem unter den fünfzig Ureinwohnern der australischen Insel Tasmania vier verschiedene Dialekte — und zwar nicht nur mit geringfügigen Unterschieden, sondern beispielsweise mit verschiedenen Vokabeln für »Auge«, »Ohr« etc. — verbreitet waren, weil kein kommunikativer Zusammenhang und keine kulturelle Einheit vorhanden waren.

Die verschiedenen Etappen der Herausbildung der deutschen *Einheitssprache* können hier nicht dargestellt werden. Die wichtigste fällt, nachdem es schon im Mittelalter eine relativ einheitliche Standes- und Literatursprache gegeben hatte, in den weiteren Umkreis der Renaissance: die Entstehung von »Ausgleichsdialekten« im Zuge der Ostkolonisation, das sich verhärtende nationale Bewußtsein, die zunehmende Bedeutung von Verwaltungsinstanzen, die Ausbreitung des Handels, die Erfindung des Buchdrucks und die Reformation müssen als Stichworte dafür genannt werden, daß die landschaftlichen Dialekte von einer einheitlichen Hochsprache überformt wurden. Auf der anderen Seite wäre es sicherlich falsch, die enorme mundartliche Zersplitterung gewissermaßen als natürlichen Urzustand anzusehen. Sie ist vielmehr Ausdruck der feudalen Herrschaftsformen und der politischen Aufteilung des Landes in zahllose kleine und kleinste Territorien, die dem Verkehr, der Interaktion und der Kommunikation, enge Grenzen setzten. Die Vielzahl und Vielfalt von Grenzlinien, die sich im Laufe der Jahrhunderte durch unser Land zog, stellt die historische Mundartgeographie vor schwierige Aufgaben.

Hilfsmittel hat sie inzwischen genug. Schon im 18. Jahrhundert entstanden Mundartwörterbücher für einzelne Landschaften; im 19. und 20. wurde diese Lexikonarbeit fortgeführt. Dabei war es unvermeidlich, daß für einzelne Wörter oder Lautformen angegeben wurde, wo sie zu Hause waren. Im letzten Viertel des 19. Jahrhunderts entwickelte sich aus diesem Ansatz eine regelrechte *Sprachgeographie*. Der rheinische Forscher Georg Wenker begann zunächst für einen Rheinischen Sprachatlas zu sammeln, weitete sein Feld aber bald auf das gesamte deutsche Sprachgebiet aus, so daß der zwischen 1926 und 1956 erschienene »Deutsche Sprachatlas« zum Teil auf Wenkers Material zurückgeht. Wenker hatte bei seiner schriftlichen Umfrage 40 Sätze in die jeweilige Mundart übersetzen lassen — gewiß eine etwas hölzerne Methode mit vielen Fehlerquellen, aber eine Methode, die das Material wenigstens vergleichbar machte. Der vierte Satz von Wenker lautete: »Der gute alte Mann ist mit dem Pferde durchs Eis gebrochen und in das kalte Wasser gefallen«. Dieser Satz verdeutlicht nicht nur die Künstlichkeit der Befragungssituation (wie seltsam nimmt sich so ein isolierter Satz im Hochsommer aus!), er führte auch zu einem besonderen Problem. Das Wort *Pferd* hatte Wenker eingefügt, um dabei den Grenzen der Lautverschiebung auf die Spur zu kommen: in Niederdeutschland sagte man ja doch *Perd*. Die ›Übersetzungen‹ zeigten aber, daß in vielen Landschaften das Wort *Pferd* im Dialekt gar nicht vorhanden war; statt dessen wurde *Gaul* oder *Roß* gesagt. Dies war der Ansatz für einzelne Wortkarten innerhalb des Deutschen Sprachatlas, die später zu einem regelrechten »Deutschen Wortatlas« ausgeweitet wurden. Außerdem entstanden und entstehen eine große Zahl regionaler Sprachatlanten, in welchen die sprachlichen Grenzlinien naturgemäß noch sehr viel präziser — und das heißt allerdings nicht selten: noch sehr viel verwirrender eingezeichnet sind.

Gelegentlich ist der Vorwurf ausgesprochen worden, es handle sich bei den auf einzelnen Karten herausgearbeiteten *Mundarträumen* nicht um Dialektlandschaften, sondern um »Dialektologenlandschaften«. Damit kann verschiedenes gemeint sein. Zum einen ist zumindest in Einzelfällen nachgewiesen worden, daß die Mundartforscher manches in die Sprache ihrer Gewährsleute ›hineingehört‹ haben, daß sie also mit bestimmten Erwartungen operierten und diese dann auch prompt bestätigt fanden. Wichtiger ist der andere Aspekt: daß eben diese Erwartungen aus nur schwer kontrollierbaren Theorien abgeleitet waren. In fast allen Landschaften gab es im Laufe der Jahrhunderte ja doch zahlreiche ›Räume‹ und Grenzen: natürliche Hindernisse wie etwa zusammenhängende Waldgebiete, die als Verkehrsschranken wirkten, Stammesgebiete, Gaugrenzen, Territorialgrenzen, spätere Verwaltungseinheiten

und zusammengehörige Verkehrsräume usw. Dabei handelt es sich nicht etwa um eine unabhängige Abfolge im Verlauf der Geschichte; vielmehr ist es so, daß die »einmal eingeprägte Kulturplastik durch spätere politische Umschichtungen gerne wieder durchbricht«, daß also Grenzen fortwirken, auch wenn sie ihre äußere Funktion verloren haben. Die Vielfalt möglicher äußerer Ursachen spiegelt sich im keineswegs einheitlichen Verlauf der Grenzen sprachlicher Merkmale: schon ein kleines Gebiet wird oft von Dutzenden verschiedener Sprachgrenzen, die sich freilich an einzelnen Stelle bündeln, durchschnitten. Dies hat oft dazu verführt, daß die Grenzlinie eines einzelnen Merkmals herausgegriffen und damit ein bestimmter ›Sprachraum‹ konstruiert wurde. Vereinzelt kam es so zur Festlegung von Stammessprachen u. ä.

# Sprachkarte von Mössingen und Umgebung (Steinlach).

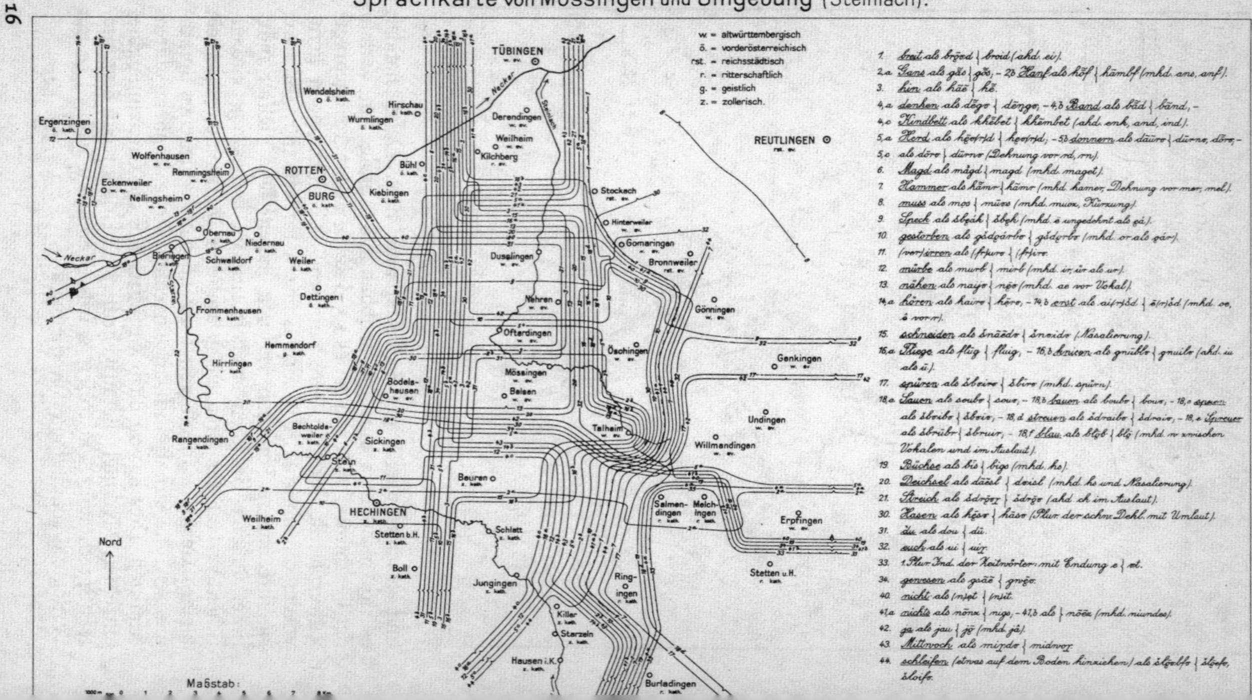

Neuerdings wurden Methoden entwickelt, die einer allzu großen Beliebigkeit in der Auswahl der Grenzlinien zumindest vorbeugen. Eine Möglichkeit ist es, die Grenzlinien zu zählen: je mehr sprachliche Unterschiede zwischen zwei Orten vorhanden sind, um so eher darf mit einer wesentlichen Grenze

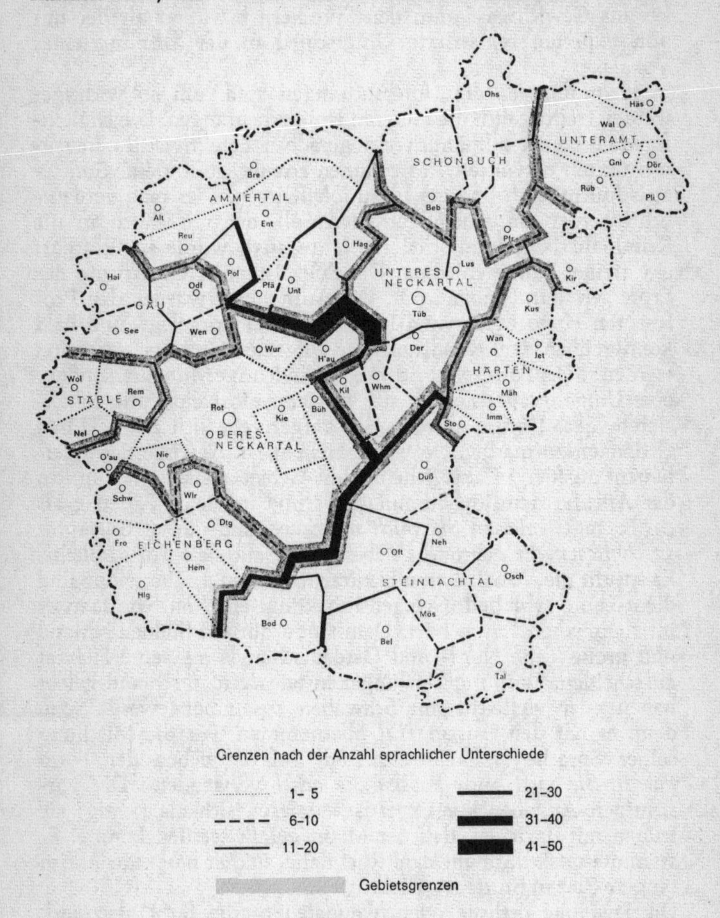


Gliederung der Mundart um Tübingen

gerechnet werden. Eine andere Möglichkeit ist es, die sprachlichen Unterschiede zu »gewichten« nach ihrer Bedeutung für die Gesamtstruktur der Sprache; dabei werden dann vor allem »distinktive« Unterschiede ausgewählt, welche die Verständigung zu behindern drohen, bei denen also Mißverständnisse möglich sind. Konkret heißt das: wenn in einem Ort statt *Pfanne* in der Mundart *Panne* gesagt wird, während dieses Wort im Nachbarort nur die hochsprachliche Bedeutung (also Autopanne o. ä) hat, so fällt dieser Unterschied stärker ins Gewicht, ist auch den Sprechern bewußter als der nur von Experten registrierte Unterschied in der Öffnung eines Vokals.

Je kleinräumiger die Untersuchungen sind, um so wichtiger werden freilich auch die feineren Unterscheidungen. Die Dialektforscher haben allmählich ein geradezu detektivisches Instrumentarium entwickelt, das es ihnen erlaubt, auch kleine Sprachausschnitte rasch und genau zu lokalisieren. Dies mag verdeutlicht werden an einem extremen Fall, der tatsächlich in die Kriminalistik hineinreicht: Im Jahre 1958 wurde in Stuttgart ein kleiner Junge entführt. Die Polizei schnitt die Anrufe des Erpressers auf Tonband mit. Die Aufnahmen wurden den Professoren Hugo Moser und Helmut Dölker vorgelegt, und bald konnte über den Rundfunk der folgende Hinweis verbreitet werden: »Der Anrufer spricht keine eindeutige Mundart, sondern eine Umgangssprache, die sich bis jetzt nicht eindeutig lokalisieren läßt. Darum werden Sie aufgerufen, sich beim Hören Gedanken zu machen, wo seine Heimat ist. Gewisse Besonderheiten dürften in das Rhein-Ruhr-Gebiet weisen. So spricht der Anrufer deutlich stimmhaftes *s* und in vielen Fällen *g* als *ch*. Er sagt: *müssen Sie mich vertrauen* und *überm Gartentor geschmissen*. Er gebraucht neben *allein* auch die Form *alleine*. Er spricht die Vorsilbe *an* mit kurzem, klarem *a*; überhaupt sind die *a*-Laute sehr hell. Gelegentlich klingt ein *l* an, wie man es im rheinischen Raum hört. Damit nun dürften Süddeutschland und große Teile Nord- und Ostdeutschlands als seine Heimat ausscheiden. Doch muß er länger in Südwestdeutschland gelebt haben oder vielleicht mit Schwaben zusammengewesen sein, denn er hat den Ausruf *Ha!* übernommen. Für die Mischung seiner Sprache ist kennzeichnend, daß er neben der Form *Passen Sie auf!* auch *Passen Sie acht!* verwendet.« Die vorsichtigen Angaben der Expertise erwiesen sich als richtig; sie trugen mit dazu bei, daß der Mann gefaßt werden konnte. Er stammte tatsächlich aus dem Rheinland, und er hatte tatsächlich längere Zeit in Stuttgart gelebt.

Die jeweilige örtliche oder regionale Sprache färbt also auch beim Wechsel des Wohnorts ab. Man hat zwar festgestellt, daß für die Ausprägung des individuellen Dialekts der Aufenthalt während der Schulzeit maßgebend ist; aber wenigstens einzelne Besonderheiten werden auch später noch übernommen. Umgekehrt führt auch der Übergang in ein völlig anderes Gebiet und anderes Milieu kaum einmal dazu, daß alle Eigenheiten der angestammten Mundart abgelegt werden. Zwar werden Merkmale, die dem Sprecher selbst auffallen und deretwegen er gehänselt wird, zurückgedrängt. Ein Schwabe, der nach Norddeutschland kommt, wird sich nach kurzer Zeit zumindest bemühen, die Verkleinerungssilbe *-le* möglichst zu vermeiden. Andere Kennzeichen seiner Mundart aber wird er vielleicht gar nicht bemerken, wird er auch sehr viel weniger unterdrücken können – dazu gehört, um ein Beispiel zu nennen, die sehr geschlossene, an sich der historischen Form und damit der Schreibung entsprechende Aussprache der Diphthonge *ei* und *au*, die in der Hochsprache eher als *ai* und *ao* gesprochen werden.

Gelegentlich werden solche mundartlichen Eigenheiten auch ganz bewußt in einer gehobeneren Form der Sprache beibehalten. Wilhelm Grimm berichtet, daß Goethe seine Frankfurter Aussprache mit der Bemerkung verteidigt habe: »Man soll sich sein Recht nicht nehmen lassen; der Bär brummt nach der Höhle, in der er geboren ist«. Aus diesen Worten sprach wohl auch der Stolz des Angehörigen einer Freien Reichsstadt, und sicherlich hat die politische Zersplitterung Deutschlands dazu beigetragen, daß auch die Sprache der Gebildeten immer nur sehr begrenzt »Einheitssprache« war. Noch heute wird – dies macht ein Blick in unsere Parlamente deutlich – diese Einheitssprache sehr wenig einheitlich gehandhabt. Dabei ist freilich nicht nur Unvermögen im Spiel, sondern oft auch stilistische Raffinesse. *Konrad Adenauers* unverkennbarer rheinischer Tonfall – war er Ausdruck unmittelbarer Verbundenheit mit der Landschaft, in der er zeitlebens wirkte und wohin er schließlich sogar die Bundeshauptstadt plazierte, oder suchte Adenauer damit die für die meisten positive Vorstellung urbaner Bauernschläue zu verfestigen, die sich über ihn herausgebildet hatte? Wenn bei *Theodor Heuss* immer wieder das Honoratiorenschwäbisch durchbrach – entsprach dies seiner gemüthaft-gemütlichen Persönlichkeit, in welcher schöngeistige Bestrebungen dominierten, gegen die sich politisches Handeln erst einmal durchsetzen mußte, oder sollte dieser Ton, zumal für das Ausland, das Ende martialischer Herrschaft und den Anfang humaner Bemühungen signalisieren? Und *Franz Josef Strauß* – zeigt sich in seinen handfesten Wahlkampfparolen wirklich urwüchsig-bajuwarische Schlagfertigkeit und Geradheit, oder ist nicht vielmehr der Stich ins Urige ein bewußt verwendetes Stilmittel, das die militante Schärfe akzeptabler machen soll?

Wahrscheinlich wäre es in all den erwähnten Fällen falsch, die Antwort einseitig in der einen oder anderen Richtung zu suchen; beides dürfte im Spiel sein. Es scheint mir aber wichtig, daran zu erinnern, daß der Dialekt auch in diesem Bereich nicht nur und wahrscheinlich auch nicht primär ›natürlicher‹

Ausdruck der Bodenständigkeit ist, sondern daß er bestimmte Signalfunktionen hat, die mehr oder weniger bewußt eingesetzt werden können.

## Vom deutschen »Stammescharakter«

Nach ihrer Erscheinungsform läßt sich den drei angeführten Fällen *Walter Ulbrichts* Redeweise als weiteres politisches Beispiel anschließen; das Sächsische war hier noch ohrenfälliger als das Rheinische bei Adenauer; das Schwäbische bei Heuss oder das Bayrische bei Strauß. Für die Erklärung aber reicht die angedeutete Interpretationsrichtung nicht aus. Gewiß bemühte sich Ulbricht u. a. deshalb nicht um besonders lautreines Deutsch, weil er sich auch in seiner Sprache als legitimer Vertreter und Sachwalter der Arbeiterklasse ausweisen wollte. Aber es kommt etwas anderes dazu: dieses *gehobene Sächsisch* repräsentiert bis zu einem gewissen (wenn der Schein nicht trügt: zunehmenden) Grad innerhalb der DDR die Hochsprache; mindestens stellt es den völlig anerkannten Verkehrston auch bei offiziellen Anlässen dar. Diese Bewertung wird verständlicher, wenn man bedenkt, daß eine eindeutige Mehrheit der DDR-Bürger (über 60 %) in Gebieten lebt, die sprachlich zum Umkreis des Sächsischen, etwas genauer: des Saxo-Thüringischen gehören. Dazu kommt, daß der sächsische Anteil an leitenden Funktionärsstellen prozentual noch höher liegt.
So hoch allerdings, wie man im Westen gelegentlich vermutet, liegt er keineswegs; es gibt auch führende Politiker mit mecklenburgischen, märkischen oder ostfälischen Dialektanklängen. Sie treten aber für die westdeutschen Beobachter der Szene zurück; für diese repräsentieren sächselnde Argumente die andere Republik. Eine Erhebung des Instituts für Werbepsychologie und Markterkundung in Frankfurt a. M. fragte – vor über einem Jahrzehnt allerdings schon – nach der Beliebtheit verschiedener deutscher Dialekte; an der Spitze lag damals die Sprache der Wiener, während die Sprache von Leipzig weit abgeschlagen an letzter Stelle rangierte. Die sprachlichen Folgen der Teilung Deutschlands sind verschiedentlich behandelt worden; dabei stehen jedoch die sich herausbildenden Unterschiede im Wortschatz — zumal im Bereich der Lehnwörter — im Vordergrund, während die drastisch verschobene Einschätzung verschiedener Sprachtönungen fast nicht beachtet wird. Aber die darin sichtbar werdende emotionale Entfernung ist gewiß ein wichtiger Befund, und sie ist möglicherweise auch für die behauptete ›Ohrenfälligkeit‹ verantwortlich. Ist Ulbrichts Sächsisch wirklich penetranter als das Schwäbisch von Theodor Heuss? Oder

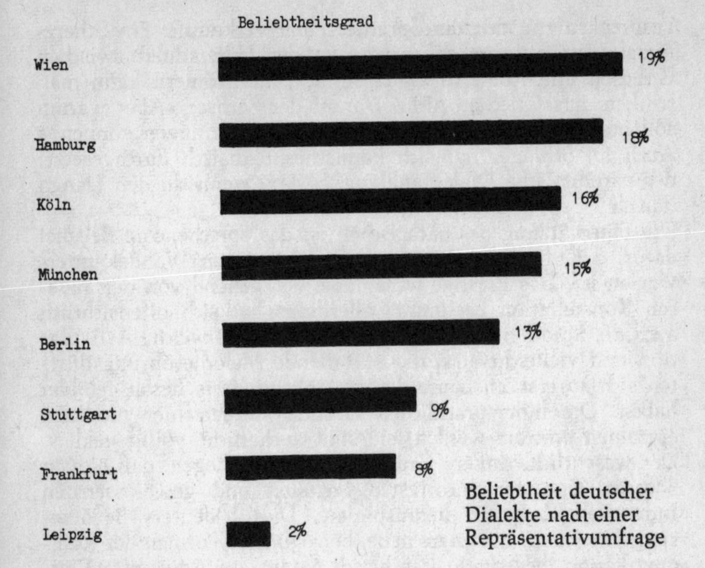


Beliebtheit deutscher Dialekte nach einer Repräsentativumfrage

erscheint es uns nur so, weil in jener Sprache andere Inhalte als die gewohnten transportiert werden?

Die entschieden negative Einschätzung des Sächsischen in Westdeutschland hätte sich allerdings wohl kaum in diesem Ausmaß durchgesetzt, wenn nicht bereits ein Gefälle in dieser Richtung vorhanden gewesen wäre. Ein sehr merkwürdiges Gefälle, denn jahrhundertelang waren die wichtigsten Bestrebungen um eine gewisse Zentrierung der deutschen Kultur und Sprache mit Sachsen verknüpft. In Sachsen, einem Kernland der Reformation, bildeten sich wichtige Anstöße zur Entwicklung einer deutschen Hochsprache heraus. Das höfische Leben der Barockzeit mit seinen literarischen Spiegelungen hatte in Sachsen bedeutende Zentren. Der wohl wesentlichste Teil der deutschen Aufklärung wird gelegentlich als »obersächsische Aufklärung« bezeichnet. Gottsched und Adelung machten den Leipziger Sprachgebrauch zur Grundlage der modernen deutschen Schriftsprache. Der junge Goethe zog nach Leipzig nicht zuletzt deshalb, um sein Frankfurterisch mit dem vorbildlich reinen Deutsch der Sachsen aufzumöbeln. Rund zwei Jahrhunderte später ist aus dem kultiviertesten Deutsch dasjenige geworden, das in der Beliebtheitsskala (freilich, noch einmal: der westdeutschen) ganz unten rangiert. Sächsisch gilt als mehr oder weniger komische Sprache. Zwar gibt es Witze auch über andere Bevölkerungsgruppen, aber wohl nirgends sind die

Pointen so eng mit der Sprache selber verknüpft: Ein Scherzrätsel wird aufgegeben – was ist der Unterschied zwischen Griechen und Römern? Ganz einfach, aus Römern kann man trinken, aus Griechen nicht. Darauf der Sachse: »Aber warum soll man denn aus Griichen (Krügen) nich dringgen gönnen?« Auch im Schlager hat sich komisches Sächsisch durchgesetzt: der parodistische Dialektanklang (»Max, wenn du den Dango danzst ...«) neutralisiert den Schnulzenton.
Die Einschätzung des Sächsischen ist das sprechendste Beispiel dafür, daß die Bewertung von Dialekten dem Wandel unterworfen ist. Das Prestige wird dabei weitgehend von der äußeren Konstellation bestimmt; allerdings hat sich offensichtlich auch die Sprache selbst verändert. Die extrem weiche Artikulation und vielleicht auch die auffallende Melodieführung dürften sich *so* erst im Laufe des 19. Jahrhunderts herausgebildet haben. Die innersprachlichen Gründe können hier nicht im einzelnen erörtert werden, sie sind auch nicht völlig geklärt. Der wesentliche äußere Grund dürfte darin liegen, daß sich in Sachsen eine der wichtigsten, größten und geschlossensten Industrielandschaften herausbildete. Dies bedeutete Bevölkerungsmischung, bedeutete neue, beweglichere Formen der Kommunikation, bedeutete – sächsisch gesagt – »Fichilanz« (Vigilanz), nach Schöffler »die spezifisch sächsische Mischung von Rührigkeit und Intelligenz«. Der industrielle Vorsprung erklärt mindestens zum Teil auch die veränderte Einschätzung; in den weniger vigilanten, konservativeren Landschaften wurde die Sprache der industriellen Ballungsgebiete (auch für das Ruhrgebiet gilt dies) leicht als Industriejargon abgewertet.
Diese etwas ausführlichere sächsische Skizze steht deshalb am Anfang des Stammes-Kapitels, weil sie geeignet ist, den *Stammesbegriff* kräftig zu relativieren. Als Kategorie der Einteilung und auch der Einschätzung scheint der Begriff von Stämmen unentbehrlich; er könnte höchstens durch andere Ausdrücke (wie »Volksschlag«, »Volksgruppe« o. ä.) ersetzt werden. Angesichts der so beweglichen Bevölkerungsgruppe der Sachsen wird andererseits aber deutlich, daß der Begriff nicht mit der Vorstellung einer die Jahrhunderte überdauernden ›Blutsgemeinschaft‹ belastet werden sollte, und daß er überhaupt weniger starr gefaßt werden sollte, als dies vielfach der Fall ist.
Die frühere Sprachforschung ist für diesen starren Stammesbegriff mit verantwortlich. Bei ihrer Suche nach simplen, klaren Gesetzlichkeiten bot sich die Stammesgliederung als Erklärungsmodell für die Verschiedenheit der Dialekte an. Die verwirrende Vielfalt der ›Sprachräume‹ und Grenzlinien wurde so reduziert auf eine übersichtliche Zahl von Großdialekten, die teils den »Altstämmen« (z. B. Alemannen, Franken, Bayern, aber auch Niedersachsen und Friesen), teils den in der mittelalterlichen

Ostkolonisation entstandenen »Neustämmen« (dazu gehören die hier eingehender besprochenen Obersachsen) zugeordnet wurden. Ganz bündig klappte dieses Verfahren freilich nicht; es gab von Anfang an systematische Schwierigkeiten, die jedoch durch die Vieldeutigkeit des Stammesbegriffs zugedeckt wurden. Dieser Begriff wurde angewandt auf die germanischen Völkerschaften, wie sie schon von Tacitus erwähnt werden, auf die Siedlungs- und Verfassungseinheiten, die sich am Ende der Völkerwanderungszeit herausgebildet hatten, auf die späteren Stammesherzogtümer und manchmal auch noch auf spätmittelalterliche Territorien, die sich bis in den Anfang des 19. Jahrhunderts hinein erhielten.

Am konkreten Beispiel erweist sich rasch, wie wenig präzise und konturiert die Bezeichnung ›Stamm‹ und die einzelnen Stammesbezeichnungen sind. Ich greife die *Franken* heraus, von deren Dialekt Friedrich Engels schon vor 90 Jahren schrieb, es sei ihm »sonderbar mitgespielt worden von den Sprachgelehrten«. Während Jacob Grimm das Fränkische hatte »in Französisch und Hochdeutsch untergehen lassen«, gaben ihm andere Forscher »eine Ausdehnung, die von Dünkirchen und Amsterdam bis an die Unstrut, Saale und Rezat, wo nicht gar bis an die Donau und durch Kolonisation ins Riesengebirge reicht«. Ist auch eine solche Ausweitung nicht mehr die Regel, so erscheint Fränkisch auf den Sprachkarten doch meist mit beachtlicher Nord-Süd-Erstreckung, jedenfalls so, daß es in das niederdeutsche Gebiet ebenso hineinreicht wie ins mittel- und oberdeutsche. Fränkische Dialekte werden nicht nur für das Gebiet des einstigen Stammesherzogtums Franken angenommen, sondern auch für Gebiete im Herzogtum Niederlothringen und am westlichen Rande des Herzogtums Sachsen (was in diesem Fall Niedersachsen meint). Zur Untergliederung wird einerseits auf die frühen Völkerschaften zurückgegriffen; so gilt das Gebiet um Köln als Ripuarisch. Andererseits erscheinen die Namen späterer politischer Einheiten, so wenn südlich Kassel das Hessische lokalisiert wird — allerdings manchmal mit einer bezeichnenden Rückversicherung in der germanischen Zeit, als in enger Beziehung zu den Franken auch die germanischen Chatten standen, die als Vorfahren der Hessen gelten. Schließlich gibt es aber auch reine Setzungen für die Dialekte, so etwa Rheinfränkisch — nur sekundär ist daraus dann auch ein Stammesteil abgeleitet worden, den es zumindest unter diesem Namen nicht gab: die Rheinfranken.

Die sprachliche Stammestheorie strahlte auf die Untersuchung anderer Kulturbereiche aus. Wie sprachliche Eigenheiten wurden auch andere kulturelle Sonderungen lange Zeit einseitig aus stammlichen Bindungen erklärt. In der Bauernhausforschung — um ein besonders sprechendes Beispiel zu nennen —

war lange Zeit vom fränkischen Gehöft, vom niedersächsischen Hallenhaus, vom Friesenhaus etc. die Rede, und zunächst war dies nicht als grober Hinweis auf die geographische Richtung gedacht, sondern als strikte Zuordnung zu getrennten ›Stammestümern‹. Die Forschung auf den verschiedenen Gebieten war nicht frei von Zirkelschlüssen: die Hausforscher verließen sich auf die von den Sprachforschern festgelegten Stammesgrenzen, wie diese umgekehrt in den Verbreitungskarten stammlicher Hausformen eine Stütze für ihre sprachgeographischen Hypothesen fanden. Die Stammestheorie wurde deshalb auch am nachhaltigsten erschüttert, als Historiker, Sprachforscher und kulturgeschichtlich orientierte Volkskundler eng und nüchtern zusammenzuarbeiten begannen. Dies geschah im Rahmen der sogenannten Rheinischen Kulturraumforschung, welche die mehr oder weniger starre Stammeskarte auflöste in ein Feld dynamischer Entwicklungen. Es zeigte sich, daß die Verbreitung der einzelnen Merkmale keineswegs immer übereinstimmt. Das gilt für bestimmte lautliche Unterschiede, von denen die bekanntesten die durch die Lautverschiebung bewirkten sind; die Lautverschiebungen (*ik/ ich, maken/machen, Dorp/Dorf, dat/das, Appel/Apfel*) decken sich nicht, sondern öffnen sich zum — von Theodor Frings so benannten — »Rheinischen Fächer«. Das gilt aber auch, um das andere Beispiel aufzunehmen, für bestimmte Bestandteile und Funktionen des Hauses, wo das Merkmal »Wohn- und Wirtschaftsräume unter einem Dach« eine andere Verbreitung hat als das Merkmal

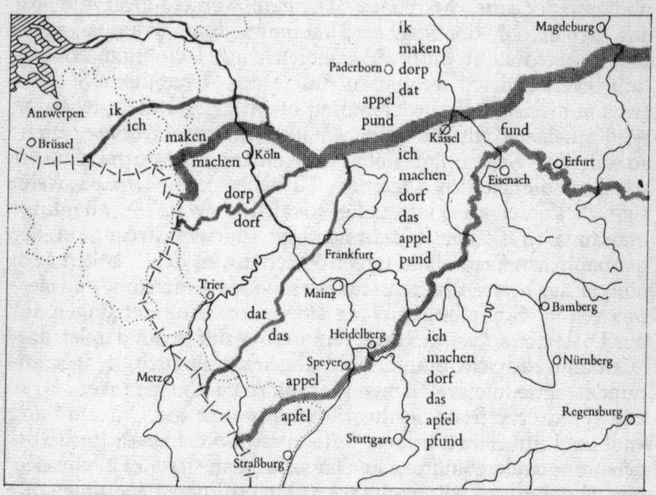


Rheinischer Fächer: Grenzen der zweiten Lautverschiebung

einer bestimmten Ständerkonstruktion oder einer bestimmten Position der Feuerstelle.
Bei genauen und unvoreingenommenen Erhebungen lösen sich in den kulturgeographischen und sprachgeographischen Karten also die einheitlichen Stammesräume weitgehend auf; sie werden durchschnitten von Grenzlinien, die durch spätere politische und verkehrsmäßige Gliederungen bestimmt sind, und meist schälen sich höchstens kleinere Kern- und Strahlungsräume heraus, die nicht selten durch eine historisch bedeutsame Stadt geprägt sind. Zwar mag in Einzelfällen auch für die Stämme gelten, daß die von ihnen geformte »Kulturplastik« nachwirkt; aber prägender waren offenkundig *spätere* Einheiten. Zwischen eng benachbarten Gebieten gleicher stammlicher Herkunft gibt es oft bedeutende Unterschiede, und sehr bewußt setzen sich oft die Bewohner einzelner Städte und Dörfer von allen Nachbarn ab. Willy Hellpach erzählt von einem Lehrer, der zu einer Gruppe ausgelassener Jungen in einer Kölner Vorstadt sagte: »Nun, ihr seid halt richtige Franken, gell?«, worauf die Reaktion etwa gewesen sei: »Der is woll jeck« – und zwar wohl nicht nur wegen des anbiedernden Tons, sondern wegen der Stammesbezeichnung Franken, die für einen Kölner so wenig besagt wie die Bezeichnung Niedersachsen für einen Holsteiner oder die stammliche Festlegung Bayer für einen Tiroler oder Wiener.
Trotzdem: das Denken in Stämmen ist nicht nur ein gelehrtes Relikt. Stamm – schon das Wort klingt nach tiefer Verwurzelung, das läßt sich schwer ausreißen. Zumindest fungieren Stammesvorstellungen als Bestandteile eines Ordnungsschemas, das gerade durch die Vielfalt und Vielschichtigkeit der tatsächlichen Bestimmungsgrößen provoziert wird. Man operiert mit *den* Schwaben, *den* Bayern, *den* Sachsen – nicht eigentlich, *obwohl* in jedem Einzelfall Dutzende von anderen charakterisierenden Bestimmungen hinzukommen müßten, sondern gerade *weil* die sich überlagernden sozialen Größen so komplex und so schwer durchschaubar sind. Hellpach hat darauf aufmerksam gemacht, daß die meisten *Großstädte* – obwohl hier ja doch etwaige stammliche Traditionen durch Zuzug und Umschichtung am sichersten hätten aufgelöst werden sollen – ausgesprochen »stammesrepräsentativ« geworden sind. Hellpach begründet diese »hochgradige Anformungskraft der Großstadt« damit, daß das Stammliche nicht letztlich biologisch als Erbgut, sondern psychologisch, als Ausdruck des »Konventionstemperaments« zu verstehen ist.
Bei dieser sich allmählich herausbildenden Übereinkunft in bestimmten Eigenschaften und Einstellungen ist das Wechselspiel von Rollenerwartung und Rollenerfüllung von besonderem Gewicht. München ist nicht nur formal die bayrische

Landeshauptstadt, die Müncher gelten auch als besondere Repräsentanten des Bayrischen – und dies, obwohl doch der Zuzug von außen (auch aus nichtbayrischen Gebieten) ebenso wie der Durchgangsverkehr besonders groß ist. Rollenerwartung spielt dabei zunächst *intern* mit: die Mehrheit der Münchner ist auf eine bestimmte Stilisierung, auf bestimmte Werte und Haltungen eingeschworen, denen sich auch die ›Neuen‹ großenteils unterwerfen müssen. Sie tun dies um so leichter, als sie eben damit zu wirklichen Münchnern werden und so auch die Rollenerwartung erfüllen, die von *außen* kommt. Besonders ›stammesbewußte‹ Bayern sahen das Echt-Bajuwarische immer wieder gefährdet durch die ›preußische Infiltration‹; man könnte demgegenüber zugespitzt sagen, daß wohl kaum etwas so zur Profilierung des Bayrischen beigetragen habe wie der Fremdenverkehr, in den das Echt-Bajuwarische ja doch als Marktwert eingebaut ist.
Diese Feststellung ist verhältnismäßig unabhängig vom objektiven Ausmaß der »stammesrepräsentativen« Vereinheitlichung. Zum Teil werden in den Städten, um zum Sprachlichen zurückzukehren, tatsächlich extremere Eigenheiten abgelegt. Aber selbst dort, wo etwa die charakteristischen lautlichen Unterschiede im Vergleich mit dem Umland zurücktreten, bleibt doch meist der eigentümliche Ton erhalten. Man ist sich heute in der Mundartforschung einig darüber, daß den sogenannten »konstitutiven Faktoren« wie der Akzentverteilung, den Lautstärkenunterschieden, den Lautquantitäten und der Melodie besondere Bedeutung zukommt. Aber die Wissenschaft hat noch wenig Möglichkeiten zur exakteren Festlegung dieser schwerer klassifizierbaren Erscheinungen entwickelt, und die Bevölkerung registriert selbst offenbar nur die jeweilige Andersartigkeit, ohne sie genauer bestimmen zu können: so kommt es, daß sich die Sprecher benachbarter Städte oder Landschaften *gegenseitig* vorwerfen, sie »singen«; gemessen wird an der »normalen« Sprechweise – und das ist jeweils die *eigene*.
Völlig beliebig und austauschbar sind freilich die Charakterisierungen, zumal die größerer Einheiten, keineswegs. Die »Stammescharakteristik« ist dabei eng mit der Sprechweise verknüpft. Wenn etwa der *Rheinländer* für leichtlebig, fröhlich, jovial und kontaktfreudig gehalten wird, so kommt das auch in seiner Sprache zum Ausdruck. Das Rheinische, so könnte man sagen, ist keine Kommandosprache, auch keine Sprache des ernst-pathetischen Bekennens – eher eine Sprache der Diplomatie, des heiteren Durchschauens, des Nichts-so-ganz-ernst-Nehmens. Solche Charakteristika werden – in kaum zu trennender Weise – nicht nur aus der Sprache heraus-, sondern auch in sie hineingehört.

Die Einschätzung der Sprache und der Sprecher kann dabei – nach dem Grad der Verfestigung und Verbindlichkeit – schwanken zwischen Image, Stereotyp und Vorurteil. Unter *Image* (wörtlich: Bild) versteht man unverbindliche, aber verbreitete Vorstellungen, und zwar eher positiven Gepräges. Das Image rheinischer Fröhlichkeit wurde von den Rheinländern selbst mit aufgebaut und wird laufend von ihnen bestätigt. Tünnes und Schäl, unerschütterlich in allen Lebenslagen, sind ja nicht von außen erfunden, sondern sind in erster Linie ein Stück Selbstdarstellung – ähnlich wie Klein Erna für Hamburg, Graf Bobby für Wien und wie die Witz-Typen alle heißen mögen. Und ein Theater wie das von Willy Millowitsch lebt wesentlich davon, daß es das rheinische Image in immer neuen Varianten reproduziert. Das Image ist sicherlich nicht unabhängig von der Wirklichkeit, aber es schwebt doch darüber; es herrscht stillschweigendes Einverständnis, daß sich die Realität keineswegs strikt nach dem Image richtet. Ein *Stereotyp* ist dagegen dort wirksam, wo eine bestimmte Wirklichkeit immer in der gleichen erstarrten und fixierten Perspektive gesehen wird. Die Distanz bloßen Rollenspiels ist dabei aufgehoben; das Stereotyp legt die Blickrichtung fest. Im Zeichen solch stereotyper Orientierung ist es zu verstehen, wenn Fremde auch dort noch fröhlich-joviale Rheinländer vor sich sehen, wo es sich in Wirklichkeit um eine relativ triste Gasthausrunde handelt – und auch, wenn Rheinländer selber nach einem verhältnismäßig langweiligen Abend resümieren, es sei ungeheuer lustig gewesen: es gibt neben dem Fremd- oder Außenstereotyp auch ein Auto- oder Selbststereotyp. Wo schließlich eine rasch verallgemeinernde, eher negative Einstellung mit großem Nachdruck behauptet wird und sich keinerlei Korrektur aussetzt, spricht man von *Vorurteil*. Die Rede vom Rheinländer, der in den Karnevalstagen selbst sein Bett zum Leihhaus bringt, ist ein Stück Image, das von Rheinländern selbst gepflegt wird, ist aber auch ein Stereotyp, das einseitig an engen Ausschnitten der Realität klebt und den Blick auf die vielen anderen verstellt, und es kann schließlich – aus asketisch-strenger Perspektive – zum handfesten Vorurteil werden.

Die Kennzeichnung als Image, Stereotyp oder Vorurteil schließt jedoch keineswegs aus, daß »etwas dran« ist. Die Vorstellung von schwäbischer Sparsamkeit, schwäbischem Fleiß und schwäbischem Besitzstreben hat sich im Bild des »Häusle-Bauens« verdichtet; in einem gängigen Schlager wird dieses Stammescharakteristikum ausgemalt, und eine geläufige Redensart läßt den Schwaben sagen: »Schaffe', spare', hause' – d'Katz verkaufe', selber mause'«. Nun gibt es für die damit karikierte Unterstellung durchaus Anhaltspunkte. In Württemberg

sitzen nicht nur die größten Bausparkassen; die Schwaben stellen auch den prozentual höchsten Anteil an Bausparern unter allen Ländern. Die sprachliche Formulierung der Vorstellung ist auch insofern ziemlich präzise, als sie nicht von einem *Haus*, sondern einem *Häusle* spricht. Gelegentlich steckt darin ein Stück Untertreibung; man kann im Schwäbischen zum Beispiel die Inhaber stattlicher Mittelbetriebe abschwächend von ihrem *Fabrikle* sprechen hören. Aber die Verkleinerung trifft auch etwas Richtiges, denn die dichte Besiedlung des deutschen Südwestens und das dort sehr ausgeprägte Streben nach selbständigem Wohnbesitz hat tatsächlich das kleine Einfamilienhäuschen weithin zum Charakteristikum gemacht.
In diesem Fall wird also deutlich, was sonst oft verdeckt bleibt: wie eng sprachliche Eigenart und sogenannter Stammescharakter zusammenhängen können. Die landläufigen Vorstellungen von *dem* Schwaben haften am Dialekt – und die Einschätzung des Dialekts haftet an jenen landläufigen Vorstellungen. Mit der objektiven Qualität hat dies nur wenig zu tun. Natürlich kann das Rheinische durchaus auch als Kommandosprache verwendet werden, und für die Rekruten rheinischer Ausbilder verliert sich das Unerwartete und Widersprüchliche solchen Tones sicherlich schnell. Aber in der allgemeinen Einschätzung spielt diese Funktionsmöglichkeit keine Rolle. Oder nochmals zu den Schwaben: Es wäre völlig unsinnig, anzunehmen, daß es für die Sprecher schwäbischer Dialekte tragische oder auch pathetische Situationen, in denen sie sich in ihrem Dialekt äußern, nicht gäbe. Wenn aber Schriftsteller schwäbische Mundart verwenden, sind sie von vornherein auf das Feld des Idyllischen, des Behäbig-Gemütlichen, des Komischen beschränkt. Der tragische Gestus, den beispielsweise das Bayrische – in vielen Spielarten von Ferdinand Raimund bis Martin Sperr – leistet, bleibt dem Schwäbischen relativ fremd. Genauer gesagt: der allgemeinen Einschätzung des Schwäbischen, mit der jeder Schriftsteller zunächst einmal rechnen muß. Auch in diesem abgeleiteten Bereich also wirken Prestigefunktion und Gebrauchsfunktion der Mundart aufeinander ein. Die Prestigefunktion aber wird zu einem nicht geringen Teil geprägt durch jene Mischung aus Wir-Bewußtsein und gebündelter Rollenerwartung, die man *Stammescharakter* nennt.

## Hochdeutsch und was darunter ist

Viele halten Dialekte für eine typisch deutsche Angelegenheit. Zu Unrecht: denn auch in Lyon, Marseille, Bordeaux und Paris reden die Leute jeweils ein anderes Französisch. Aber die

Annahme ist doch nicht ohne Grund. Wie sich in Frankreich sehr viel früher als in Deutschland eine einheitliche Nation und damit auch eine kulturell maßgebliche Metropole herausgebildet hat, so auch eine verbindliche Hochsprache. Die sprachliche Zentralisierung war das Ergebnis der politischen Entwicklung; eine endgültige Entscheidung brachte der Beschluß der Nationalversammlung von 1790, alle Dialekte auszurotten – ein Beschluß, den der Romanist Karl Voßler folgendermaßen kommentierte: »Auf so gewaltsame Weise haben die Franzosen ihre Sprache lieben und pflegen gelernt«.
Die deutschen Bemühungen um eine *standardisierte Sprache* erscheinen demgegenüber sehr viel unpolitischer, literarischer, distanzierter. Dies gilt für die barocken Sprachgesellschaften, deren Mitglieder sich alle Mühe gaben, der »teutschen Hauptsprache« einen höheren Rang zu verleihen; es gilt aber auch noch für die Standardisierungstendenzen im 19. und 20. Jahrhundert. Nicht im Bereich der Hauptstadt und nicht in der politischen Arena bildete sich die gesprochene Standardsprache heraus. ›Reines‹ Deutsch ist beileibe nicht Berlinerisch, sondern entstammt eher der Gegend um Hannover; und es wurde normiert als »mustergültige Bühnenaussprache«. Theodor Siebs hatte bei der Aufführung klassischer Dramen in norddeutschen Theatern phonetische Aufzeichnungen gemacht, die er seinem 1898 erschienenen Werk über die »deutsche Bühnenaussprache« zugrunde legte. Er forderte diese Sprache auch für Vortrag, Unterricht und Predigt, und wenn sich einige der Forderungen (zum Beispiel: Aussprechen des *r* als »Zungen-r«) inzwischen auch abgeschliffen haben, so hat sich im ganzen doch die von Siebs fixierte Norm erhalten.
Im Jahre 1824 werden in einer Zeitschrift die Predigten eines schwäbischen Theologen gewürdigt. Es wird betont, daß sie »nicht mit Nachahmung der lateinischen, nur Überredung bezweckenden Oratorie, im Kathederton« gehalten seien, »vielmehr volksmäßig, volksverständlich, nach der sich anschmiegenden, aber das Gemeine vermeidenden Umgangssprache«. Gesprochene Schriftsprache erscheint hier also als negative Folie, von der sich der natürlichere Predigtton abhebt. Diese Bewertung ist geblieben; auch und gerade nach der strengeren Normierung haftet der Hochsprache eine gewisse Künstlichkeit an. Ein eigentlicher Konversationston hat sich in ihrem Umkreis nicht herausgebildet; dies merkt jeder Übersetzer, der ein leichtes Konversationsstück ins Deutsche überträgt – er hat im allgemeinen nur die Wahl, die Dialoge stilistisch eine Nuance höher anzusetzen oder sie landschaftlich einzufärben (also beispielsweise eine *Berliner* Komödie zu formulieren).
Häufiger als in anderen Ländern dürften bei uns auch die Bekenntnisse von Schriftstellern sein, daß ihre Sprache durch und

durch *regional geprägt* ist. Dies gilt nicht etwa nur für die Heimatdichter mit eng begrenztem Horizont, sondern auch und gerade für diejenigen, deren Werk über den Verdacht des Provinziellen erhaben ist. Thomas Mann schreibt: »Der Stil eines Schriftstellers ist letzten Endes und bei genauem Hinhorchen die Sublimierung des Dialektes seiner Väter. Wenn man den meinen als kühl, unpathetisch, verhalten charakterisiert, wenn man lobend oder tadelnd geurteilt hat, ihm fehle die große Geste, die Leidenschaft, und er sei, im Großen, Ganzen wie in der Einzelheit, das Instrument eines eher langsamen, spöttischen und gewissenhaften als genialisch stürmenden Geistes – nun, so mache ich mir kein Hehl daraus, daß es niederdeutsch-hanseatische, daß es lübeckische Sprachlandschaft ist, die man so kennzeichnet, und ich gestehe, daß ich mich literarisch immer am wohlsten gefühlt habe, wenn ich einen Dialog führen konnte, dessen heimlichster Silbenfall durch einen Unterton von humoristischem Platt bestimmt war.« – Günter Grass zehrt nicht nur in den besten Partien seines Romanwerks von den Erinnerungen an das Danziger Deutsch, er hat sich auch theoretisch zu dieser Orientierung bekannt. Und Martin Walser, um noch ein drittes Beispiel zu nennen, hat durch die Analyse einer Rede zum »Tag der deutschen Einheit« gezeigt, wie falsches Pathos zerfällt, wenn man es an den im Dialekt möglichen Formulierungen mißt. In diesem Zusammenhang bezeichnet Walser den Dialekt emphatisch als »eine Art Goldreserve«: sie »liegt dem hochdeutschen Papier zugrunde als eine verschwiegene Deckung; auf die kann man sich zwar nicht öffentlich berufen, aber man zieht sich auf sie zurück, wenn alle übrigen Sinne schon zerstört sind«.

Soll dieser Vergleich nicht in fragwürdig romantisches Gelände führen, so muß freilich hinzugefügt werden, daß sich die Goldwährung auch nach dem Papier bestimmt: der Dialekt ist nichts Unberührtes, dem die Standardsprache als etwas gänzlich Fremdes gegenübersteht, sondern er ist in seinen Funktionen durch die Standardsprache definiert. Ein Beispiel soll dies verdeutlichen. Im Sommer 1970 hielt ein oberbayrischer Pfarrer eine Dialektpredigt über die Hochzeit zu Kana. Hier ein kleiner Ausschnitt:

»Oisa (also), meine liabn Lait!

Går nimmer schee' håt's hargschaut: De Brautlait san dågsessn, gåånz verlegn, mein Gott, se san hålt årme Lait, wås kennen sie dafiir! Un jetzet, die Weinkånna san scho ålle laar, in den Glasele drin is net 's letzte Någei (Neigchen, Tröpfchen), un då kånn dia Muatter Gottes nimmer zuaschaun, des is ihr z'dumm. Sie sågt zu unsam Häarrn: ›Sie håben kainen Wain mähr!‹ Un där Härr, ja so schpaßi' red er dahäär: ›Meine Schtund is no net kemma!‹ ›Jå Härr, des kenna mir Dir sågn; ietz' soi' khoifa wärn!‹ (jetzt soll geholfen werden!)

Aber naa, der Härr huift scho, des wiss' ma. Är hååt mit Brunnawåssa da gaanzen Hou'zet an Wei gschenkt, daß mer ›Sie‹ sågn muaß. Daß der Oberkoch gsächt håt: ›Na, na, naa, des is ja gånz aus der Wais, des is fei a' besserer Wei', ois wir ihn gegeben håm zum Drinka!‹

Jå, sågt's mer, Lait, warum denn is där Härr so raar gwesn? Is är veleicht ne' guat aufglegt gwesn? Na, des derf ma neet sågen, des war dumm dahergeredt, ååba där Härr sieht hoit (halt) diafer wia sölbst unser liabe Frau. Är woaß, daß er vom Himel keima is, net bloß um an Hou'zetdrunk zu schtiften, sondern daß er kemen is, um de ganze Gsöllschaft von uns Menschen – bitte des san fei' Milljarden! – um di henauf zu hem (heben) in die himmlische Hou'zet mit oi' (allen) unsne Wärkdåg, met oi' unsre Schtärbedåg, dia amoi', wia Baulus sågt, Kriistus aansiehn (ansehen) därfa, Lait, frai' mer uns darauf, dees is där beste Hou'zetdrunk, den uns där Härr gibt!«

Im Johannesevangelium ist der Vorgang verhältnismäßig karg geschildert:

»Und da es an Wein gebrach, spricht die Mutter Jesu zu ihm: Sie haben nicht Wein. Jesus spricht zu ihr: Weib, was geht's dich an, was ich tue? Meine Stunde ist noch nicht gekommen. Seine Mutter spricht zu den Dienern: Was er euch sagt, das tut. Es waren aber allda sechs steinerne Wasserkrüge gesetzt nach der Sitte der jüdischen Reinigung, und es gingen in jeden zwei oder drei Maß. Jesus spricht zu ihnen: Füllet die Wasserkrüge mit Wasser! Und sie füllten sie bis obenan.«

Die Dialektpredigt malt aus, interpretiert, argumentiert aus dem Blickwinkel der dörflichen Zuhörer. Aber es handelt sich nicht um jene anschmiegende Umgangssprache, von welcher der Rezensent von 1824 sprach, und schon gar nicht um naiv gebrauchte Sprache, um den Ausdruck des Nicht-anders-Könnens. Der Dialekt ist hier *Demonstrationsdialekt*. Gerade weil die Zuhörer in der Kirche Hochsprache erwarten, unternimmt der Geistliche den – übrigens nur einmaligen – Versuch, das erzählte Geschehen zu »verfremden«, indem es aus dem Gewohnten (das Gewohnte wäre hier die Hochsprache!) entfernt wird. Der Gebrauch des Dialekts ist also bestimmt durch die sonst übliche Geltung der Standardsprache.

Wo immer Dialekt in mehr oder weniger öffentlicher Situation verwendet wird, liegt dieses Verhältnis zugrunde. Höchstens zusätzlich kommen noch andere Funktionen ins Spiel, so etwa bei einer anderen Dialektpredigt, die der Pfarrer des münsterländischen Ortes Wippingen hielt, als flämischer Besuch im Ort war:

»Dat, wat Jesus Kristus vorutsecht (vorausgesagt) hat, dat passiert nu bi uus. Wenn us de Pastoor de Hostie güf (gibt), dann is Jesus Kristus bi uus. Dann lewet hei in uus un wi' in öm. Un wenn jeider von uus denselben Kristus in sü' trächt, of Flame of Dütske (ob Flame, ob Deutscher), bindt us dat ok ne onananner? Ick meine, 'n schtärker Band güft et nech', wat uus ananer bin'n kann, a' dat Band Jesus Kristus. Ma' nun is dat då nich mit gedåån, dat wi hier de Messe fiert un mol'je Gemeinskop metnanner habt. Wat de in der Kaark gedoon wart, dat mout ok uten doon wirn. Wenn hier Gemeinskoop, dann ok uten! Fer de Käärke, in de Familjen, op de Stråten und overall.

Mine leiben Frönde, dat wull ik jou von dåre säggen, ja so racht an't Haarte legen: Dat wat wi in de Kärke dout, dat maut uten wieder don!«

Hier wird mit dem Gebrauch des Plattdeutschen die Brücke geschlagen zu den Flamen: das Niederdeutsche steht in seinen Formen dem Niederländischen und den flämischen Dialekten näher als den mittel- und oberdeutschen, die weithin die Grundlage der deutschen Hochsprache bilden. Dieses Beispiel macht deutlich, daß kaum verallgemeinernd vom Verhältnis zwischen *dem* Dialekt und der Standardsprache geredet werden kann, daß vielmehr der Stellenwert der einzelnen Dialekte in dieser Beziehung sehr verschieden ist. Das niederdeutsche *Platt* ist von der Einheitssprache besonders weit entfernt, und mit ihm wird der Anspruch verknüpft, es sei mehr als nur irgendein Dialekt. Im Blick auf die Historie ist diese Feststellung richtig: in den großen Zeiten der Hanse konkurrierte das Niederdeutsche durchaus mit der – freilich erst unzulänglich vereinheitlichten – südlicheren Sprache. Und dieses geschichtliche Faktum wirkt sich – über die Art der Bewertung – bis in die Gegenwart aus: Weithin ist das Platt verschwunden oder doch zurückgedrängt; auf dem Lande sind die Leute vielfach leicht gekränkt, wenn sie auf Platt angesprochen werden. In der Stadt dagegen und zumal in »besseren Kreisen« hat sich das Platt als eine Art Honoratiorensprache eher erhalten, und auch in der plattdeutschen Literatur wirkt etwas vom alten Anspruch auf Gleichrangigkeit mit dem Hochdeutschen fort.

Eine Sonderstellung nimmt auch die *Schweiz* ein. Sie ist offiziell mehrsprachig; Französisch, Italienisch und Rätoromanisch stehen im Prinzip gleichberechtigt neben dem Deutschen. Der deutschsprachige Teil ist allerdings der größte, und dort bildet ein durch Eigenheiten des Wortschatzes und des Satzbaus etwas eingefärbtes Schriftdeutsch die amtliche Standardsprache. Aber der Geltungsbereich dieser Schriftsprache ist kleiner als in anderen Gebieten, Reichweite und Gewicht des Dialektes sind dagegen größer. Kommt ein deutscher Wissenschaftler an eine schweizerische Universität, und vertritt er nicht eine schon weitgehend international formalisierte Disziplin, dann kann er zu seinem Erstaunen erleben, daß im Anschluß an seinen Vortrag auf Schweizerdeutsch diskutiert wird.

Es ist sicher nicht falsch, die sprachlichen Verhältnisse in der Schweiz auf die ältere Geschichte zurückzuführen: in der Vielfalt der Dialekte wie in ihrer übergreifenden alemannischen Verwandtschaft spiegelt sich die eidgenössische Tradition. Doch muß hinzugefügt werden, daß die heutige Situation auch ein Ergebnis sprachpflegerischer Bemühungen unseres Jahrhunderts ist. Die politische Profilierung gegen das Deutsche Reich, zumal in der Zeit des Nationalsozialismus, fand ihren sprachlichen Ausdruck in der »Schwyzertütschi Sproochbiwegig« (Schweizerdeutsche Sprachbewegung) und ihrer konsequenten Bemühung, das Schweizerdeutsche zu erhalten. Zugespitzt – und vermutlich ein wenig zum Ärger unserer Schweizer Nachbarn – könnte man sagen, daß das Schweizerdeutsch seine heutige Bedeutung nicht zuletzt Adolf Hitler verdankt.

Der Begriff *des* Schweizerdeutschen ist dabei irreführend, denn tatsächlich handelt es sich darum, daß die jeweiligen örtlichen oder regionalen Dialekte – manchmal mehr, manchmal weniger ausgeprägt – die Sprache bestimmen, und zwar eben auch in Konstellationen, die anderswo ziemlich zwangsläufig den Wechsel zur Hochsprache bedingen. Praktisch zeigt sich dies beispielsweise daran, daß auch sehr abstrakte Gegenstände in den Dialekt, in das Schweizerdeutsch eingeschmolzen werden – man denke an die eben zitierte »Sproochbiwegig«!

In anderen Landschaften empfände man eine solche Einschmelzung als Stilbruch, als Übergriff. Hier gibt es getrennte Domänen, getrennte Geltungsbereiche der Hochsprache und des Dialekts; es gibt allerdings auch eine breite sprachliche Zwischenzone – und sie umfaßt den größten Geltungsbereich –, die weder hochsprachlich noch streng mundartlich geprägt ist. Je abstrakter und geistiger ein Gegenstand ist, um so eindeutiger erscheint er dem Bereich der Hochsprache zugewiesen. »Bildungsworte haben Bildungsaussprache bekommen«, schreibt Konrad Zwierzina, und er bezieht sich damit auf ein geschichtliches Beispiel: Wörter wie *Geist, heilig, rein,* die schon früh einen zentralen Platz in der Kirchensprache einnahmen, wurden im Bayrischen nicht mundartlich eingefärbt; es heißt also auch in mundartlicher Rede nicht etwa *Goast.* Umgekehrt gibt es in allen Dialekten einzelne Vokabeln für Werkzeuge, Arbeitsvorgänge u. ä., für die gar keine hochdeutsche Entsprechung zur Verfügung steht, die sich also schon dadurch als strikt mundartlich ausweisen.

Der Gegenstand der Rede prägt also das jeweilige sprachliche

Niveau. Man muß freilich sofort hinzufügen: auch der jeweilige Sprecher, der jeweilige Adressat, die besonderen Absichten und sonstigen Bedingungen der Rede. Zusammenfassen läßt sich dies im Begriff der sprachlichen *Situation* oder – auf den jeweiligen Sprecher bezogen – im Begriff der sprachlichen *Rolle*. Die Entdeckung der Situation und der Rolle wurde für die Beobachtung sprachlicher Vorgänge und Erscheinungen außerordentlich wichtig. Daß diese Entdeckung so spät erfolgte, hängt mindestens teilweise damit zusammen, daß die alltägliche Sprache erst im Lauf der allerletzten Jahrzehnte beträchtlichen Veränderungen unterlag. Im Jahre 1880 unterschied Philipp Wegener »drei verschiedene Sprachformen«, die er als »konzentrische Kreise um den Mittelpunkt der Schriftsprache« gelagert sah: die Sprache »des Gebildeten«, den Dialekt »des halbgebildeten Städters« und »schließlich die Bauernsprache«. Will man die Ausweitung des Kommunikationshorizonts vom Dialekt zur Hochsprache andeuten, so empfiehlt es sich, das Kreismodell umzukehren; in der Mitte, mit dem geringsten

Sprechweisen und Kommunikationshorizonte früher

kommunikativen Radius, steht dann die Mundart, die für viele — in der Formulierung Ulrich Engels — eine »Vollsprache« ist, »ein in seiner Art vollständiges und zureichendes Bedeutungsgefüge«; und zwischen sie und die Hochsprache schiebt sich, was heute meist als *Umgangssprache* bezeichnet wird. Geht man von früheren Zuständen aus, so ist Umgangssprache nicht einfach alles, was weder Hochsprache noch Dialekt ist, sondern ist vielfach innerhalb einer bestimmten Region genau zu präzisieren. Es gibt dafür eine nette Anekdote, die der Berliner Aufklärer Friedrich Nicolai in seiner Reisebeschreibung erzählt; danach wurde eine bayrische Gräfin von einer österreichischen wegen ihrer Aussprache zurechtgewiesen mit den Worten: »Liebe! Solltens halt nit so schlecht deutsch sprechen. Sprechen immer die Koaserinn, muß haaßen die Kaaserinn«.
Betrachtet man die *heutigen* sprachlichen Zustände, so gilt zwar immer noch, daß der Dialekt die kleinste, die Einheits-

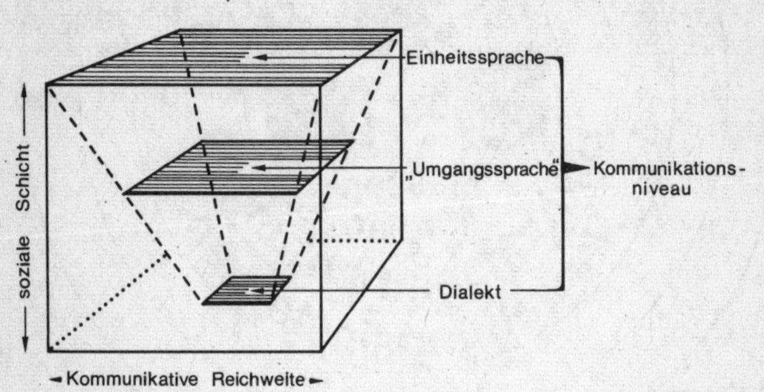


Dialekt und Einheitssprache

sprache die größte kommunikative Reichweite hat; und das Sprachniveau bestimmt sich im großen und ganzen nach der sozialen Stellung. Aber die Kommunikationsbedingungen sind anders, und die Landschaft zwischen Hochsprache und Dialekt ist immer komplizierter und undurchsichtiger geworden. Auch zu den bäuerlichen Familien kommt die Hochsprache — zumindest über die Massenmedien — ins Haus. Und wo sie den engsten Kreis des Hauses verlassen, werden sie in ganz anderem Umfang als früher mit Institutionen konfrontiert, in denen der breite Dialekt ebenfalls nichts verloren hat. Und sie sind schließlich im Durchschnitt sehr viel mehr unterwegs als ihre Eltern und Großeltern, was dem Dialekt wiederum einen geringeren Stellenwert gibt; nur in den seltensten Fällen fungiert er noch als »Vollsprache«.
Die Veränderungen, die vor sich gegangen sind, können schlag-

wortartig im Begriff der *Mobilität* zusammengefaßt werden. Mobilität, wörtlich: Beweglichkeit, meint zunächst soziale Mobilität, also Veränderungen im Aufbau der sozialen Schichtung, insbesondere Aufstieg in ›gehobenere‹ Berufe. Aber auch von räumlicher Mobilität kann gesprochen werden – es unter-

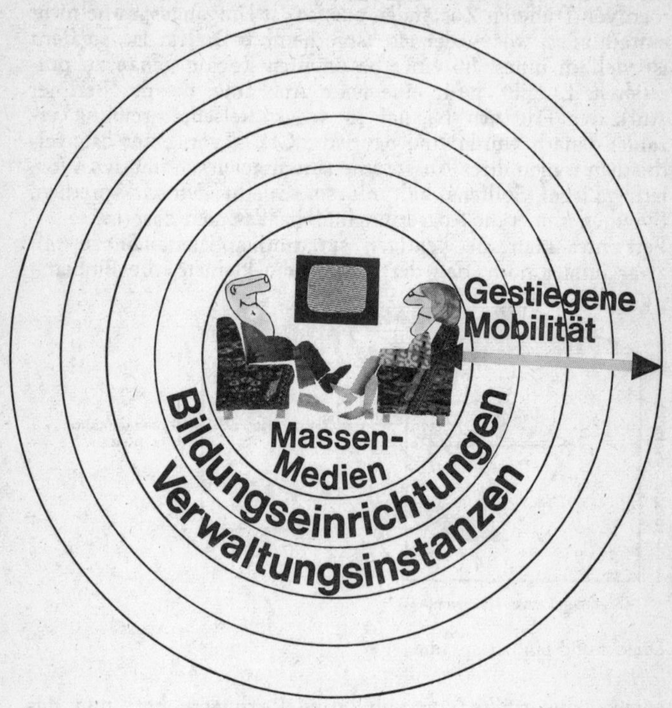


Sprechweisen und Kommunikationsbedingungen jetzt

liegt keinem Zweifel, daß die Existenzform dessen, der zeit seines Lebens seinen Heimatort nicht verlassen hat, allmählich ausstirbt. Das Verlegen des Wohnorts, der Wechsel der Arbeitsstätte, aber auch beispielsweise die Urlaubsreise – all dies breitet sich aus. Schließlich könnte man aber auch von höherer »kommunikativer« Mobilität sprechen und damit die zahlreichen Konstellationen andeuten, die weder mit Ortsveränderungen noch mit sozialem Aufstieg direkt zusammenhängen, in denen aber doch Hochsprache oder zumindest Umgangssprache erforderlich oder üblich ist.
Es liegt nahe, daß Umgangssprache hier nicht mehr genau nach ganz bestimmten Lautformen zu klassifizieren ist; der Begriff

und die Sache werden zum »Chamäleon«, wie Henzen sagte, und dieses mittlere Sprachniveau ist so wenig eindeutig einem bestimmten Teil der Bevölkerung zuzuordnen wie der Dialekt. Gewiß hat es noch immer einen gewissen Sinn, von örtlichen Mundarten zu reden; aber weniger denn je lassen sich über die Sprache eines *einzelnen* Sprechers die tatsächlichen sprachlichen Strukturen in einem Ort erfassen. Die bisher letzte große Erhebungsaktion ging deshalb andere Wege als die früheren. Im Jahr 1955 begann diese Aktion, die vom *Deutschen Spracharchiv* unter der Leitung von Eberhard Zwirner ausging. Über die Karte der Bundesrepublik wurde ein Quadratnetz gespannt; in jedem Quadrat (von 16 km Seitenlänge) wurde ein Ort zur Aufnahme ausgewählt. Dort aber sollte die Sprache von mindestens sechs Personen auf Tonband genommen werden – Alten und Jungen, Männern und Frauen, Bauern und Beamten, Angestellten und Arbeitern, Einheimischen und Zugezogenen, so daß sich wenigstens annähernd ein Querschnitt ergab.
Ich greife das Beispiel des kleinen schwäbischen Orts Kusterdingen heraus. Da ist zunächst die fast 90jährige Frau eines Bauern und Eisenbahnarbeiters, die breiten Dialekt spricht und nicht anders sprechen kann; sie hat den Ort kaum einmal, jedenfalls nie für längere Zeit, verlassen, und Funk und Fernsehen vermochten ihre Sprache nicht zu ändern. – Aber auch ihre Tochter, 50jährig, mit einem gebürtigen Ukrainer verheiratet, spricht breiten örtlichen Dialekt – vielleicht, weil auch sie kaum aus dem Ort herausgekommen ist, vielleicht aber ist diese Sprechweise auch Ausdruck einer ausgeprägt konservativen Einstellung. – Der nächste Sprecher, ein ungefähr 60jähriger Vollbauer, spricht vor dem Mikrophon (auch dies ist ja doch eine spezifische Situation, eine spezifische Rolle) etwas ›höher‹ als im Gespräch mit seinen Nachbarn, bei denen er breite Dialektformen verwendet. Das Stichwort »Bauer« allein scheint also nicht definitiv für das Verbleiben bei den ältesten Formen; die Skala der sprachlichen Möglichkeiten *dieses* Bauern (der freilich auch im Gemeinderat sitzt) geht weit über die Mundart hinaus. – Dann folgt eine 20jährige Apothekenhelferin und Sprechstundenhilfe. Sie arbeitet in der benachbarten Stadt Tübingen und ist mit einem Studenten verlobt. Obwohl auch sie noch nie längere Zeit von zu Hause weg war, bringt ihre berufliche Orientierung doch ein höheres Sprachniveau und vor allem die Möglichkeit des »Umschaltens« mit sich. – Der nächste Sprecher *will* Mundart sprechen; aber auch er arbeitet – als Beamter – in der Stadt, so daß unvermerkt lautliche und sonstige Eigenheiten in seine Sprache eindringen, die nicht mehr zur Basis des Dialekts gehören. – Und schließlich: ein 30jähriger Handlungsreisender, aufgewachsen zwar in dem Dorf, aber seit Jahren schon unterwegs in der ganzen

Bundesrepublik und darüber hinaus, verheiratet zudem mit einer Nicht-Schwäbin. Er spricht eine sehr gehobene Umgangssprache, die gesprochener Hochsprache sehr nahesteht.
Die sprachliche Charakterisierung und Einteilung kann bei einem solchen Querschnitt aufgrund des Gesamteindrucks vorgenommen werden; genauer und überprüfbarer wird das Bild, wenn »dialektale Stufenleitern« – so hat es Ulrich Ammon genannt – gebildet und bei den einzelnen Sprechern verfolgt werden. Ein Beispiel: die Perfektform *haben gehabt* lautet bei den beiden ersten Sprecherinnen *hant ghet*. Der dritte Sprecher formuliert gewissermaßen Honoratiorenschwäbisch: *habet ghabt*, und die beiden folgenden Aufnahmen gehen in ähnliche Richtung. Der letzte Sprecher dagegen, der junge Reisende, sagt es – wenn man mit diesem Begriff keine zu strengen Maßstäbe verbindet – auf hochdeutsch: *haben gehabt*.
Argumentiert man vom Einzelfall aus, so kann man bei der Feststellung bleiben, daß die Position auf der dialektalen Stufenleiter von Situation und Rolle abhängt; bei dem älteren Bauern, der sich bewußt aufs Mikrophon einstellt, ist das ganz offensichtlich. Aber schon der Überblick über ganz wenige Fälle zeigt, daß die Wahl der Sprechrollen keineswegs völlig oder auch nur überwiegend ins Belieben des einzelnen gestellt ist; den Begriffen Situation und Rolle gliedern sich andere, sie bedingende Faktoren an. Auch von Sprechrollen gilt, daß jeder nur ein begrenztes Rollenrepertoire hat; die Rollen bündeln sich um eine festere Größe, die in der Soziologie als Status bezeichnet wird. Insofern also zielen die Begriffe Rolle und auch Situation zu kurz. Sprachliches Verhalten äußert sich zwar grundsätzlich in Rollen und Situationen; aber durch sie hindurch werden die Bedingungen sichtbar, welche das Niveau der Situationen, die Enge oder Vielfalt der Rollen bestimmen. Diese Bedingungen sind verschiedener Art und gehören verschiedenen Dimensionen an: Berufszugehörigkeit und Bildungsgrad, Geschlecht und Alter, Prestige und Sachkenntnis. Aber die wichtigeren dieser Bedingungen sind vielfach, dies zeigen die wenigen Beispiele so gut wie ein größerer Überblick, Ausdruck der Soziallage des einzelnen. So ist es nicht verwunderlich, daß das Thema: *Sprache und soziale Schicht* immer stärker in den Mittelpunkt sprachlicher Gegenwartsbeobachtungen rückt. Es ist auch für die folgenden Kapitel dieses Büchleins wesentlich.

## Das Pygmalionproblem

Pygmalion war nach der griechischen Sage ein König, der sich – so ist es bei Ovid nachzulesen – auch als Bildhauer betätigte und in eine von ihm geschaffene weibliche Statue verliebte;

diese Statue wurde auf seine Bitte hin von Aphrodite zum Leben erweckt. *George Bernard Shaw* hat den Namen und einen Teil der damit verbundenen Symbolik 1913 in ein Drama übernommen, das hier im Hintergrund steht, wenn von einem *sprachlich-sozialen* Pygmalionproblem die Rede ist. Shaws Pygmalion ist der Londoner Phonetik-Professor Higgins, der für die Reinheit der englischen Sprache kämpft und überzeugt ist, daß die Aussprache eines Menschen über seinen Rang in der Gesellschaft entscheidet. Um dies zu beweisen, gibt er dem Blumenmädchen Eliza Doolittle, das ihm wegen des ordinären Jargons auffällt, Unterricht in Sprache und Manieren; er ist überzeugt davon, daß sich Eliza nach wenigen Wochen als Dame in den besten Kreisen bewegen kann, ohne aufzufallen. Das Drama zeigt mehrere Anläufe dazu; aber das Experiment gelingt keineswegs sofort. Eliza hält sich zwar durchaus an die Anweisung, übers Wetter und über die Gesundheit zu sprechen; aber unversehens drängen sich ihr – selbst bei diesen konventionellen Themen – Erinnerungen und Gedanken auf, die sie von der Konvention wegführen.

> MRS. EYNSFORD-HILL: Ich hoffe, wir haben dieses Jahr keine ungewöhnlich kalten Tage. Die bringen so leicht Influenza mit sich, und meine ganze Familie ist so empfänglich dafür.
> ELIZA *mysteriös*: Meine Tante ist an Influenza gestorben – so hat man behauptet.
> *Mrs. Eynsford-Hill äußert ein mitleidiges »Ts ts ts«.*
> Aber wenn Sie mich fragen, haben sie die alte Dame einfach abjemurkst.
> *Higgins und Pickering sehen einander anklägerisch an, als wollte einer den anderen dafür verantwortlich machen, daß er Eliza für diese letzte nicht eingeübte Phrase doch nicht richtig präpariert hätte.*
> MRS. HIGGINS *verwundert*: Abjemurkst?
> ELIZA: Jawohl, Gott hab' sie selig. Warum sollte sie denn ausgerechnet an 'ner Influenza sterben, wo sie doch das Jahr vorher die Diphtheritis glatt überstanden hat – sie war schon ganz blau im Gesicht! Alle haben schon jedacht, sie wär' dot. Aber mein Alter hat ihr immer ruhig weiter den Gin in die Kehle gelöffelt.
> *Higgins, der nicht recht weiß, was er tun soll, balanciert seine Teetasse auf seinem Kopf und macht ein paar Schritte, ohne einen Tropfen zu verschütten. Eine beachtliche Leistung.*
> Dann ist sie wieder zu sich gekommen, und zwar so plötzlich, daß sie den Löffel glatt vom Stiel abgebissen hat.
> MRS. HIGGINS *alarmiert*: Mein Gott!
> ELIZA *weitere Verdachtsmomente anhäufend*: Nun frage ich Sie, eine Frau mit solchen Kräften, was hat die für'n Grund, an Influenza einzugehn? Und was ist aus ihrem neuen

Strohhut geworden, den ich eigentlich erben sollte? Den hat einer geklaut.

*Higgins fächelt sich mit dem silbernen Tablett vom Teetisch.*

Und was ich damit sajen wollte, is': Die, die ihn jeklaut haben, haben se auch abjemurkst.

LADY BOXINGTON *nervös, laut*: Abjemurkst? Sagten Sie abjemurkst?

HIGGINS *hastig*: Ach, das ist so eine moderne Redensart. Jemanden abmurksen, heißt, ihn umbringen.

MRS. EYNSFORD-HILL *zu Eliza, entsetzt*: Sie glauben doch nicht im Ernst, daß man ihre Tante umgebracht hat?

ELIZA: Und ob ich's glaube! Diejenijen, bei denen sie jewohnt hat, hätten se schon wegen 'ner Hutnadel umjebracht, vom Hut gar nicht zu reden.

MRS. EYNSFORD-HILL: Aber es war sicher unrecht von Ihrem Vater, ihr so viel Alkohol einzuflößen. Vielleicht hat er damit ihren Tod verursacht?

ELIZA: Nich' bei der. Für die war Gin die reinste Muttermilch.

*Pickering zuckt zusammen. Higgins entschließt sich zu gehen, legt allerseits grüßend den Finger an den Hut und will fort. Jedoch, seine unkontrollierbare Neugier hält ihn im letzten Moment zurück, um mit anzuhören, was Eliza noch zu erzählen hat.*

Außerdem hat er selber schon so viel durch seine eigene Kehle jegossen, daß er jenau wußte, wozu es gut war.

LORD BOXINGTON: Sie meinen damit, Ihr Vater trinkt?

ELIZA: Trinken ist gut! Gesoffen hat er.

An dieser Szene wird deutlich, daß der sprachliche Dressurakt nicht klappen kann. Solange die Gegenstände, über die Eliza redet, distanziert bleiben, vermag sie den angelernten Ton zu halten; aber sobald Emotionen ins Spiel kommen, setzen sich tiefere Schichten der inneren Denkstruktur durch – und damit ist auch die äußere Sprachkonvention beim Teufel.

Es liegt zunächst nahe, die von Shaw verwendete Konstellation als literarisches und zumal als dramatisches ›Urmotiv‹ zu betrachten: Menschen verschiedener sozialer Herkunft treffen zusammen; der Angehörige der niedrigeren Sozialschicht versucht, sich zu Sprache und Etikette der höheren aufzuschwingen; dies mißlingt, und der Zuschauer hat seinen Spaß an den komischen Entgleisungen. Da ist etwa die mittelalterliche deutsche Verserzählung von einem braven Bauern, dem *Meier Helmbrecht*, dessen Sohn Ritter werden möchte und bei seiner Rückkehr ins Elternhaus mit gestelzten höfischen Formeln, mit lateinischen, französischen, flämischen und böhmischen Brokken um sich wirft. Da ist mehr als eine Erzählung in *Boccac-*

*cios »Decamerone«*, in der das Überspringen von Standesgrenzen nur zu komischen Unzuträglichkeiten führt. Und da ist *Jean Baptiste Molières* Komödie *»George Dandin ou le mari confondu«*, deren Stoff er dem »Decamerone« entnahm. Die Reihe ließe sich fortsetzen, und sie läßt sich auch über Shaw hinaus verlängern: sein Drama »Pygmalion« bot die Grundlage für das Musical *»My Fair Lady«*, das 1956 entstand und seither auf der Bühne wie im Film nahezu unvergleichlichen Erfolg hatte.
Die Verbindungslinie, die hier skizziert wird, ist sicher nicht allzu schief; und gewiß erklärt die angedeutete komische Grundkonstellation wenigstens teilweise das große Echo, das all diese literarischen und theatralischen Werke fanden. Aber bei genauerem Zusehen wird, innerhalb des gleichen oder vergleichbaren Motivrahmens, doch ein charakteristischer Wandel sichtbar.
*Molières* Komödie stellt den reichen, aber ungeschliffenen Bauern George Dandin in den Mittelpunkt, der aus gesellschaftlichem Ehrgeiz die leichtsinnig-kokette Tochter eines Landadeligen heiratet. Dandin scheitert nicht nur an der Raffinesse seiner Frau, sondern auch an den von ihren Eltern unnachgiebig aufrechterhaltenen Standesgrenzen:

HERR VON SOTENVILLE: Was gibt's, Herr Schwiegersohn? Sie scheinen mir ganz außer sich.
GEORGE DANDIN: Ich habe auch allen Grund dazu und ...
FRAU VON SOTENVILLE: Mein Gott, Herr Schwiegersohn, haben Sie so wenig Lebensart und begrüßen die Leute nicht, wenn Sie ihnen begegnen?
GEORGE DANDIN: Herrje, Frau Schwiegermutter, ich habe ganz andre Dinge im Kopf und ...
FRAU VON SOTENVILLE: Schon wieder! Ist es denn möglich, Herr Schwiegersohn, daß Sie so wenig Umgangsformen besitzen und daß es kein Mittel gibt, Ihnen beizubringen, wie man sich gegenüber Standespersonen zu benehmen hat?
GEORGE DANDIN: Wieso?
FRAU VON SOTENVILLE: Werden Sie sich denn niemals mir gegenüber des allzu vertraulichen Ausdrucks »Schwiegermutter« entäußern und sich dafür angewöhnen, »gnädige Frau« zu mir zu sagen?
GEORGE DANDIN: Potz Blitz! Wenn Sie mich »Herr Schwiegersohn« nennen, so kann ich Sie doch wohl auch »Frau Schwiegermutter« nennen.
FRAU VON SOTENVILLE: Dagegen ist einiges einzuwenden, denn die Dinge lassen sich nicht vergleichen. Lernen Sie gefälligst, daß es Ihnen nicht zukommt, sich dieses Wortes gegen eine Person meines Standes zu bedienen, denn wenn Sie auch unser Schwiegersohn sind, so besteht doch zwischen Ihnen und uns ein gewaltiger Unterschied, und das dürfen Sie nie vergessen.

HERR VON SOTENVILLE: Genug davon, meine Liebe... Hören wir nun, Herr Schwiegersohn, was Ihren Geist beschäftigt.

GEORGE DANDIN: Wenn ich denn rundheraus sprechen soll, so muß ich Ihnen sagen, Herr von Sotenville, daß ich alle Ursache habe...

HERR VON SOTENVILLE: Gemach, Herr Schwiegersohn! Nehmen Sie zur Kenntnis, daß es unschicklich ist, die Leute mit ihrem Namen anzureden; zu denen, die über uns stehen, sagt man »gnädiger Herr« kurzweg.

GEORGE DANDIN: Nun also, gnädiger Herr kurzweg, und nicht mehr Herr von Sotenville, ich muß Ihnen leider sagen, daß mir meine Frau...

HERR VON SOTENVILLE: Halt! Wissen Sie nicht, daß Sie nicht sagen dürfen »meine Frau«, wenn Sie von meiner Tochter sprechen?

GEORGE DANDIN: Ich möchte rasend werden! Meine Frau ist nicht meine Frau?

FRAU VON SOTENVILLE: Jawohl, Herr Schwiegersohn, sie ist Ihre Frau; aber Sie dürfen sie nicht so nennen. Das könnten Sie nur tun, wenn Sie eine Ihresgleichen geheiratet hätten.

GEORGE DANDIN *beiseite*: Ach, George Dandin! wo bist du da hineingeraten! *Laut*: O bitte, setzen Sie für einen Augenblick Ihre Hochwohlgeborenheit beiseite und lassen Sie mich reden, wie mir der Schnabel gewachsen ist!

Die Schwiegereltern überwachen gegenüber dem subalternen Emporkömmling geradezu hämisch exakt das Ritual des höheren Standes. Dem Schwiegersohn gelingt es nicht, solche Vornehmheit auf die Seite zu schieben und daherzureden, wie ihm der Schnabel gewachsen ist; er kann und darf nicht zur Sache kommen, weil er die formalen Ansprüche nicht erfüllt.

Es wird berichtet, daß der Pariser Hof — Molière stand mit seiner Truppe ohnehin in der besonderen Gunst des Königs — großen Gefallen an dem Stück fand, daß die weitere Öffentlichkeit dagegen eher negativ urteilte. Der Grund dafür war aber die breit ausgemalte Frivolität der jungen Frau, nicht etwa die Demonstration von Standesgrenzen. Weder Molière noch sein bürgerliches Publikum stellte diese wirklich in Frage; sein Dandin weiß, daß er sich auf eine Konfrontation eingelassen hat, auf die er besser hätte verzichten sollen, und sein Streben ist um so weniger verständlich, als die Angehörigen des oberen Standes ja doch als ärmliche, völlig an ihre preziöse Etikette verkaufte Kreaturen erscheinen, während bei Dandin immer wieder — vergeblich — ein Stück Natur durchbricht.

In *Shaws* Drama hat sich demgegenüber einiges geändert. Eliza ist das völlig unschuldige Opfer einer fixen Idee. Higgins macht sich keine Gedanken darüber, was aus Eliza werden soll; er wäre bereit, sie nach dem Experiment wieder in ihre alte Umgebung zurückzustoßen. So ausgiebig Shaw die Pointen verwendet, die aus Elizas Verstößen gegen die Etikette und ihren sprachlichen Entgleisungen entstehen – das Drama *kann* sich nicht darin erschöpfen, daß es das Scheitern Elizas zeigt. Sie emanzipiert sich tatsächlich, und zwar nicht eigentlich dadurch, daß es ihr bei einem großen Botschafterempfang gelingt, die angelernte Rolle fehlerlos durchzuhalten, sondern dadurch, daß sie selber die Nichtigkeit dieses Vorgangs durchschaut. Sie richtet sich nicht etwa auf dem mühsam erreichten sprachlich-sozialen Niveau ein, sondern sucht unabhängig davon ihre Identität: sie rechnet ab mit dem Fachidioten, der über seinen phonetischen Entwürfen die schmerzhafte soziale Wirklichkeit vergißt.

Trotzdem: Shaws Drama setzt voraus, daß der gesellschaftliche Aufbau – aus der Shaw fremden konservativen Perspektive gesagt – »in Ordnung ist«, das heißt: daß es klar voneinander abgesetzte gesellschaftliche Schichten mit eigenen Konventionen und eigener Sprache gibt. Man wird feststellen dürfen, daß die englische Gesellschaft dafür ein besseres Muster bot oder bietet als die deutsche. Versuche, Shaws Stück auf dem Theater in deutsches Milieu zu verpflanzen, haben nicht nur mit der Schwierigkeit zu kämpfen, die aus dem Fehlen eines überregionalen ordinären Slang entsteht und die jede Übersetzung von Elizas Entgleisungen dürftig macht; auch die eingefleischte Etikette, die zelebrierten Umgangsformen der Oberschicht wirken hier weniger glaubhaft und rutschen allzu schnell ins Unzeitgemäß-Komische ab.

Im Musical *»My Fair Lady«* wird eben diese Unwirklichkeit ausgespielt; die Szene, die parallel zu der zitierten Shaws gesehen werden muß, spielt auf dem Rennplatz, und nicht zuletzt vermittels dieses Schauplatzes wird dem Publikum klargemacht, daß es sich um die High-Society, um die große Gesellschaft, handelt, die hier zusammentrifft. Auch Elizas Gebaren und schließliches Aus-der-Rolle-Fallen ist nicht mehr eigentlich ein differenzierter sprachlicher Prozeß: das einzige Wörtchen *Arsch* reicht hin, um zu zeigen, wie sie von ihren Gefühlen aus der sterilen Konvention fortgetragen wird.

FREDDY: Ich habe auf Nummer sieben gesetzt. Ich würde mich glücklich schätzen, wenn ich Ihnen mein Ticket geben dürfte. Das Rennen wird Ihnen dann viel mehr Spaß machen.

*Er bietet ihr sein Wett-Ticket an, sie akzeptiert.*

ELIZA: Zu gütig von Ihnen.

*Freddy geleitet Eliza zu einem günstigen Platz direkt in der Mitte.*

FREDDY: Ihr Pferd heißt Dover.

ELIZA *wiederholt*: Dover.

DAMEN, HERREN *und alle übrigen, außer Higgins*:

Jetzt geht's wieder los!
Zwei Sekunden knapp
Hat man noch zu warten
Und sie starten wieder –
Ah! Ja, sie sind: Ab!

*Wieder das mumienhafte Schweigen. Die einzige Ausnahme ist Eliza. Ihre Fäuste ballend vor Aufregung, lehnt sie sich nach vorn. Blind gegenüber dem Verhalten der sie Umgebenden, beginnt sie ihr Pferd anzufeuern.*

ELIZA *zuerst leise*: Los doch, los doch, Dover!

*Die Damen und Herren wenden sich langsam um, starren sie an und tauschen verwunderte Blicke aus.*

Los doch, los doch, Dover!!! *Ihre Stimme wird lauter.*

*Die Damen und Herren rücken merklich ab von einer solchen Zurschaustellung natürlichen Benehmens.*

Los doch, Dover!!!! – Sonst streu' ich dir Pfeffer in' Arsch!

*Ein gequältes Aufstöhnen der Gruppe um sie herum. In dem Augenblick, in dem sie es gesagt hat, wird es ihr klar, was sie getan – sie hält sich die Hand vor den Mund, als woll'e sie versuchen, die Worte wieder zurückzupressen. Mehrere Frauen fallen graziös in Ohnmacht und werden von ihren Begleitern aufgefangen. Lord und Lady Boxington stehen da wie vor den Kopf geschlagen. Pickering läuft davon, schneller als Dover je rennen könnte. Higgins, natürlich, bricht in ein brüllendes Gelächter aus.*

Die Szenerie, die hier aufgebaut wird, erinnert ein wenig an die Unwirklichkeit der Kioskromane. Das Kennzeichen dieser *Trivialliteratur* ist es ja nicht eigentlich, daß sie real vorhandene gesellschaftliche Schranken spielend überspringt. Sie baut vielmehr zunächst einmal Schranken auf, die *so* überhaupt nicht mehr bestehen, und sie liefert dann die Traumlösungen zur Überbrückung der aufgerichteten Gegensätze.

Aber: dies funktioniert nur, weil die Konsumenten ihrerseits ständig an Schranken stoßen, deren Überwindung sie sich erträumen. Diese Schranken sind weniger genau zu bestimmen als diejenigen, die im Trivialroman zwischen der kleinen Welt der strebsamen Kontoristin und der großen Welt des Fabrikbesitzers Graf X. aufgebaut werden; und sie sind auch nicht durch Heirat zu überbrücken. Sucht man eine umfassende Formel für diese Schranken, so bietet sich das Schlagwort »*Entfremdung*« an, das deutlich machen kann, daß sich die Schwierigkeiten nicht alle unmittelbar in sozialen Gegensätzen ausdrücken. Sie können aber mindestens zum Teil dort lokalisiert werden, wo dem sozialen Aufstieg trotz allen egalitären Parolen harte Grenzen gesetzt sind. Den Marschallstab, so sagt man, trägt jeder im Tornister. Aber wie viele haben die Möglichkeit, ihn auszupacken? Oder etwas unmilitärischer ausgedrückt: eine demokratische Verfassung vermag viele formale Schranken zu beseitigen, welche dem sozialen Aufstieg im Weg stehen. Aber es gibt, wie es der Amerikaner Vance Packard ausgedrückt hat, »unsichtbare Schranken«, die nur schwer übersprungen werden können. Gerade dieses Faktum gibt dem Pygmalionproblem in der Gegenwart sein eigenes Gesicht und sein besonderes Gewicht.

Fast alle Modelle der *sozialen Schichtung* in der Bundesrepublik zeigen Zwiebelform, sind also charakterisiert durch ihren »Mittelstandsbauch«, eine ungeschichtete breite Mitte. Hier

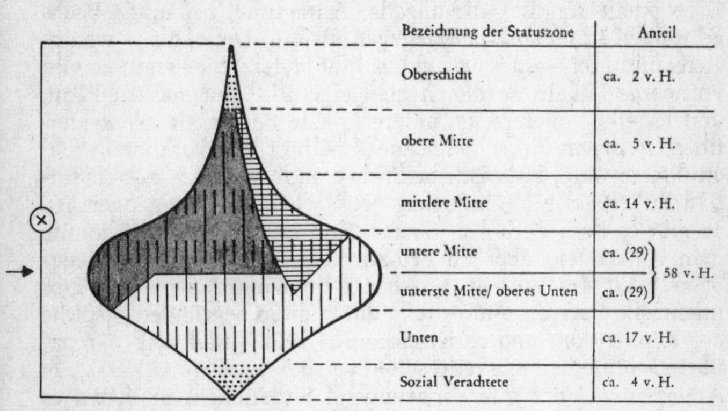


Die Markierungen in der breiten Mitte bedeuten:

Angehörige des sogenannten neuen Mittelstands

Angehörige des sogenannten alten Mittelstands

Angehörige der sogenannten Arbeiterschaft

Punkte zeigen an, daß ein bestimmter gesellschaftlicher Status fixiert werden kann.

Senkrechte Striche weisen darauf hin, daß nur eine Zone bezeichnet werden kann, innerhalb derer jemand etwa im Statusaufbau liegt.

(×) = Mittlere Mitte nach den Vorstellungen der Bevölkerung

→ = Mitte nach der Verteilung der Bevölkerung. 50 v. H. liegen oberhalb bzw. unterhalb im Statusaufbau

Soziale Schichtung in der BRD

müssen aufgrund sozialstatistischer Daten weitaus die meisten Menschen angesiedelt werden, und hier überschneiden und überlappen sich die verschiedenen größeren Berufsgruppen. Facharbeiter stehen – nicht nur nach dem Einkommen, sondern auch nach Selbst- und Fremdeinschätzung – höher als viele kleine Angestellte; höhere Angestellte verdienen weit mehr als kleine

Selbständige – und so fort. Dieses Ineinander macht deutlich, daß eine Trennlinie von »Klassen« nach objektiven Merkmalen erst sehr weit oben in dem Schema angesetzt werden kann, dicht unterhalb der immer schmaler werdenden Spitze. Aber dies Ineinander beseitigt keineswegs die *internen Barrieren*, die auch weiter unten entweder tatsächlich vorhanden sind oder vermutet werden, denn von ganz unten bis weit in die obere Mittellage hinein gibt es zwar vage, aber doch tiefsitzende Vorstellungen von *»denen da oben«*.
Niemand wird ohne Zynismus behaupten wollen, in unserer Gesellschaft sei alles für alle da. Alltägliche, beiläufige Beobachtungen schon sprechen dagegen. Es gibt Leute, die – wenigstens mitunter – *speisen*, und es gibt andere, die *essen*; es gibt vornehme Lokale, in denen man eigentlich nur speisen kann, und es gibt andererseits andere Lokale oder auch Werkskantinen, in denen dieser gehobene Ausdruck von vornherein fehl am Platze wäre. Praktisch heißt das: auch wenn die demonstrative Etikette der High-Society wohl eher zurückgegangen ist, so gibt es doch noch die ›oberen Zehntausend‹. Gewiß könnte man einwenden: aber im Prinzip kann ja doch jeder in jedes Speiselokal. Im Prinzip ja. Aber kann wirklich jeder? Es gibt finanzielle Sperren und – teils durch diese begründet – solche der Konvention, und es ist sicherlich kein Zufall, daß ›Grenzüberschreitungen‹ nur recht selten versucht werden.
Andererseits aber gibt es genügend Situationen, in denen es nicht in der Wahl des einzelnen steht, sich abseits zu halten, obwohl er ihnen nicht ohne weiteres gewachsen ist; ja man kann von der anderen Seite her formulieren: es gibt immer weniger Situationen, denen der einzelne wirklich voll gewachsen ist. Immer häufiger kriegt er es mit Instanzen, Gegenständen, Konstellationen zu tun, in denen er nur dann sicher bestehen könnte, wenn ihm Welt und Sprache der Bildung, der Verwaltung, des Rechts, der Politik, der Medizin, der Technik usw. ganz und gar geläufig wären. Die daraus entstehenden Schwierigkeiten, die aus der Distanz oft durchaus komisch erscheinen, machen einen großen Teil der Wirkung aus, welche die kabarettistischen Kurzszenen *Jürgen von Mangers* ausüben. Gewiß verkörpert er einen regional geprägten Menschenschlag, den »Ruhrdeutschen«, wie ihn Joachim Stave bezeichnet. Aber seine Art und seine Sprache sind von allgemeinerer Bedeutung. Die forsche Hilflosigkeit und hilflose Forschheit, mit der er sich immer wieder schwierigen Situationen stellt, ist ebensowenig landschaftlich einzugrenzen wie das sprachliche Mittel verballhornter Umgangssprache. Fast immer strebt Manger eine irgendwie höhere Denk- und Anschauungsweise an; mit mächtigen Klimmzügen sucht er sich auf ein höheres Sprachniveau zu schwingen; aber gleich sackt er wieder ab, sinkt er zurück

in die Sprachlage und Denkwelt, die ein wenig tiefer liegt – tiefer in einer sozialen Skala, aber auch tiefer in ihm.
Da ist etwa die Festrede bei der Betriebsversammlung. Trotz dem *feierlichen Festtage* rutschen ihm schon nach einem halben Satz Ausdrücke wie *Kokolores* und *Blödsinn* ins dürftige Konzept; aber immer wieder nimmt er pathetische Anläufe. Konkrete Forderungen werden abstrakt und falsch vorgebracht: die Arbeitgeber sollen endlich *das Sozialprodukt herausrücken.* Rasch geht der Gedankenflug ins allgemeine – *dem Dichterworte möchte ich es – anknüpfen* –, vom *Vaterland* ist die Rede, und man wartet auf die Ausbreitung eindrucksvoller Zusammenhänge, als die Ansprache auf die Kriegs- und Nachkriegsnot des Vaterlandes einschwenkt. Aber die Worte schrumpfen zusammen, nur mit *den unsäglichen Sachen da* klingt der Satz aus, wobei das Wort *unsäglich* einerseits pathetische Steigerung ist, zugleich aber auch meint, was es sagt: der Redner kann beileibe nicht alles in Worte fassen, was er anvisiert und eigentlich sagen möchte. Es gibt einige typische Äußerungsformen solchen sprachlichen Unvermögens. Syntaktische Regionalformen (*zugange sein, am Abwarten sein* etc.) werden genau dort verwendet, wo der Sprecher sich um Verständlichkeit und Korrektheit bemüht. Abstrakte Wortbildungen werden bevorzugt, aber nicht immer bewältigt (*Körperpflege und Gesundheitsreinigung*). Fremdwörter werden häufig, aber auch häufig falsch verwendet *(Pommes frites mit Bratkartoffeln).* Und die Sätze leiten oft eine schwierige, ›hypotaktische‹ (d. h. einzelne Satzteile unterordnende) Konstruktion ein, entgleisen aber dann oder brechen ab, bleiben ›elliptisch‹.
Nun könnte eingewandt werden, all dies sei beileibe nicht neu – weder in der Sache noch in der Sprache: Schon immer gab es Menschen, die sich in Dinge mischten, von denen sie nichts verstanden, und zumal *Frau Raffke* und *Herr Neureich* sind Witztypen nicht von heute, sondern von vorgestern – ein frühes literarisches Beispiel bietet Raimunds Bauer Fortunatus Wurzel, der in der Stadt das Leben eines Parvenüs führt und beispielsweise für sein »Biberlitheks«-Zimmer die Bücher nach Gewicht kauft.
Die erwähnten sprachlichen Äußerungsformen aber sind mindestens zum größeren Teil auch als Charakteristika der ›Volkssprache‹ angeführt worden. Auch sie ist unbekümmert in ihrem Satzbau und bewältigt abstrakte Gegenstände und Formen nur unzureichend. Auch hier ist elliptisches Sprechen als charakteristisch herausgestellt worden. Und für die falsche Verwendung von nicht vertrauten Wörtern zeugt eine ganze Gattung von Begriffen, die man unter dem Stichwort *»Volksetymologie«* zusammenfaßt: fremde Vokabeln sind hier in veränderter Form dem eigenen Sprachduktus und Sprachverständnis angepaßt –

so geht etwa das Wort »Armbrust« auf ein mittellateinisches »arcubalista«, das Wort »Hängematte« auf das karibisch-spanische »hamaca« zurück, und diesen Beispielen könnten Dutzende von anderen aus der Hochsprache und aus Dialekten hinzugefügt werden.
Aber gerade der Hinweis auf solche Volksetymologien ist geeignet, die Unterschiede deutlich zu machen und zu zeigen, daß der vorgetragene Einwand weder in sachlicher noch in sprachlicher Hinsicht stichhaltig ist. Volksetymologien sind zwar im Ansatz fehlerhaft, sind – nach Adolf Bach – erklärbar aus dem »Kausalitätsdrang naiven Denkens ..., der sich durch Assoziationen Genüge tut«. Aber sie sind andererseits ja gerade dadurch definiert, daß sie innerhalb eines bestimmten Horizontes (sei es nun der einer ganzen Hochsprache oder nur eines Dialekts) verbindlich und damit auch »richtig« werden; die spanische Herkunft des Wortes Hängematte ist nur noch Gelehrtenwissen, das über Gebrauch und Richtigkeit längst nichts mehr besagt. Der verdrehte Fremdwortgebrauch à la Manger dagegen bleibt *falsch* und wird im Grunde – dies bezeugt Mangers unsicheres, wenn auch immer wieder lautstark überspieltes sprachliches Tasten – nicht einmal in den individuellen Horizont des Sprechers wirklich eingeschmolzen.
Ähnlich kraß ist der Unterschied hinsichtlich der elliptischen Sprache. Die halben Sätze, die lediglich andeutenden Vokabeln sind in der sogenannten Volkssprache für Redesituationen charakteristisch, in denen sie aus der jeweiligen Situation heraus ergänzt werden können. Wer sich selbst oder andere bei alltäglichen Reden am Arbeitsplatz oder zu Hause beobachtet, wird überrascht sein, wie wenig schulgerechte Sätze dabei herauskommen. *Hammer! – Menschenskind, gib doch – rechts – stimmt? – okay!* – eine solche Gesprächsfolge ist keineswegs ungewöhnlich; aber sie läßt für die Beteiligten nichts offen, da das Gespräch sehr konkret aus der Situation ergänzt wird. Bei Manger bleiben die Sätze dagegen unvollständig, obwohl und weil die Situation alles andere als durchsichtig ist; der abstrakte Gegenstand wird weder sprachlich noch sachlich gemeistert. Die »situationsökonomischen Verallgemeinerungen«, die man in dialektnahem Sprechen registrierte, sind sinnvolle Einsparungen; die Mangerschen Ellipsen und Leerformeln dagegen sind Ausdruck der Hilflosigkeit.
Diese Hilflosigkeit aber muß nicht erfunden werden. Jeder von uns steht tagaus, tagein Vorgängen und Gegenständen gegenüber, die er sachlich nicht begreift und/oder sprachlich nicht zu fassen weiß. Natürlich gibt es auch jetzt noch den speziellen Typus dessen, der sich sprachlich überfordert, weil er Flausen im Kopf hat; hierher gehört etwa jener »Hexer« aus der Lüneburger Heide, der seinen Richtern lange Zeit Rätsel aufgab,

weil er ständig von den »Benomen« sprach und schrieb, bis sich herausstellte, daß es ihm das Wort »Phänomen« angetan hatte. Aber der Banklehrling, der mir erzählte, sein Tanzstundenball sei mit einer »Mayonnaise« eingeleitet worden; die Frau, die zwei Redensarten zusammenzog, als sie sagte, als Lehrerin müsse man »viel Eselsgeld zahlen«; der sprachwissenschaftliche Professor, der in der Autowerkstatt sagt, »da am Dings« sei etwas nicht in Ordnung; die amtssprachlichen Erlasse, die sich wie ihre eigene Parodie lesen — all das sind keine Extremfälle, sondern Symptome dafür, daß keiner von uns sprachlich seine ganze Wirklichkeit zu bewältigen vermag.
In seiner »Theorie der Halbbildung« schreibt Adorno pointiert: »Was früher einmal dem Protzen und dem nouveau riche vorbehalten war, ist Volksgeist geworden«; die Massenmedien ermutigen ständig dazu, »Bildung zu prätendieren«. Ignazio Silone formuliert ähnlich: »Alles, was den einzelnen Neureichen als lächerliche Gestalt erscheinen läßt, wiederholt sich in schlimmerer Form bei dem zu Wohlstand gekommenen Gesamtvolk«. In dieser Situation bietet die Abrechnung mit den Halbgebildeten aus dem Blickwinkel des »wahrhaft Gebildeten« gewiß wenig Ansätze zur Hilfe. Der humoristische Aspekt, der die falschen Ansprüche ebenso relativiert wie die weitgehende Hilflosigkeit, erscheint angemessener. Ernsthaft sollte das Problem aber dort in seinem ganzen Umfang diskutiert werden, wo sprachliche Erziehung als Hebelarm für soziale Veränderungen gesehen wird: in der Debatte über *Sprachbarrieren.*

## Sprachbarrieren

Faßt man den Begriff Sprachbarrieren weit, so kann man behaupten, daß wohl kaum ein Gespräch davon frei bleibt: nur selten verläuft sprachliche Kommunikation völlig ungestört; die Verschiedenheit — und sei sie auch nur eine der Nuancen — in der Sprache zweier Dialogpartner kann als Hindernis wirken; und oft stocken wir, weil wir nicht sicher sind, ob wir mit unseren Worten die Sache und den Ton richtig treffen. Im allgemeinen wird aber von Sprachbarrieren nur dann gesprochen, wenn eine Gruppe von Menschen in ihren *gesamten* kommunikativen Möglichkeiten durch sprachliche Mängel oder sprachliche Andersartigkeit behindert ist.
Das Manko kann in körperlichen Schäden begründet sein. So wirkt sich beispielsweise *Schwerhörigkeit* immer auch auf die Sprechfähigkeit aus. Mit besonderen technischen Lehrmitteln und intensiver individueller Betreuung ist es heute möglich, schwerhörigen Kindern wenigstens ein gewisses Ausmaß sprachlicher Fähigkeiten zu vermitteln. In vielen Fällen aber scheitert

dies, weil die teuren Einrichtungen und die nötigen Fachkräfte fehlen. Noch immer wird dies manchmal als mehr oder weniger unausweichlich und schicksalhaft hingenommen; mangelnde Beobachtungsgabe und fehlende geistige Wendigkeit werden fälschlich als Voraussetzung der Sprachlosigkeit betrachtet, während sie in Wirklichkeit überwiegend deren Folge sind.
Ein anderes Beispiel von Sprachbarrieren, dem wir täglich begegnen können, bieten die Gastarbeiterfamilien. Das Wort *Gastarbeiter* — vergeblich bemühte sich der WDR mit einem Preisausschreiben um einen vernünftigen Ersatzvorschlag — täuscht eine vorübergehende Situation vor; tatsächlich aber handelt es sich in vielen Fällen um eine Zuwanderung auf Dauer oder doch auf längere Zeit. Daraus entstehen sprachliche Probleme. Sie stellen sich weniger für die Erwachsenen, die sich in ihren Betrieben anhand der Arbeitssituation einigermaßen verständigen können und die ansonsten meist unter ihresgleichen, in einer einigermaßen abgetrennten Subkultur, leben. Aber sie stellen sich mit Nachdruck für die Kinder, die hier zur Schule gehen und in ihren Lernerfolgen und Integrationsmöglichkeiten von Anfang an dadurch behindert sind, daß sie sich — manchmal ohne zusätzliche Hilfe — eine Fremdsprache aneignen müssen.
Wenn aber heute so viel von Sprachbarrieren die Rede ist, dann sind im allgemeinen nicht diese besonderen Fälle gemeint. Vielmehr zielt das Stichwort auf einen sprachlich-sozialen Tatbestand weitesten Ausmaßes, von dem zwar längst jedermann irgendwie wußte, der aber so wenig spektakulär ist, daß er für die sprachwissenschaftlich und auch die sprachpädagogisch Interessierten jahrzehntelang verhältnismäßig gleichgültig blieb, ehe er sich ziemlich plötzlich in den Vordergrund schob. Gemeint ist der wechselseitige Zusammenhang zwischen *Soziallage* und *sprachlichem Niveau.* Die soziale Stellung, die soziale Schicht legt bis zu einem gewissen Grade das sprachliche Vermögen und Verhalten fest. Das sprachliche Können aber bestimmt seinerseits die Möglichkeiten des Aufstiegs auf der sozialen Leiter — und zwar nicht etwa nur auf dem Weg über hochachtungsvolle Bewerbungsschreiben, sondern auch dadurch, daß das sprachliche Erfassen von Vorgängen in immer mehr Berufen notwendig wird, so daß Sprache als Auswahlkriterium wichtiger wird. Diese wechselseitige Festlegung von niedriger Sozialschicht und niedrigem sprachlichem Niveau regte niemand auf, solange im Beharren beim alten Stand und bei der alten Sprache (konkret hieß das vielfach beim bäuerlichen Beruf und beim bäuerlichen Dialekt) ein ausgesprochener Wert gesehen wurde. Sobald aber die Parole des Rechts auf Bildung für alle und die demokratische Forderung der Chancengleichheit ernst genommen wurde, mußte das Problem dieser sozialen Sprachbarriere zentral werden.

Zunächst räumten mehrere pädagogische Untersuchungen die übertriebenen Vorstellungen von angeborener Begabung aus dem Weg, indem sie zeigten, daß schon einzelne positive Anstöße im frühen Kindesalter in erstaunlichem Maß zur sprachlichen Entfaltung beitragen, daß also ein Großteil dessen, was als sprachliche Begabung bezeichnet wurde, milieuabhängig ist. Diese Untersuchungen, die in den Vereinigten Staaten unmittelbar nach dem Zweiten Weltkrieg einsetzten, wurden Ende der fünfziger Jahre in England intensiviert. Griffig und wirksam wurde die Sprachbarrierenforschung vor allem durch *Basil Bernstein,* der seit 1962 Leiter des Sociological Research Unit am Institute of Education in London ist und dort mit seinen Mitarbeitern eine ganze Anzahl von Versuchs- und Beobachtungsreihen in Gang setzte. Er typisierte den unterschiedlichen Sprachgebrauch, ordnete die Typen bestimmten sozialen Schichten zu und suchte den verschiedenen Sprachgebrauch aus der verschiedenen Lebensweise, den verschiedenen alltäglichen Sozialbedingungen zu erklären. Da die Sprachbarrierenforschung von Bernsteins – allerdings immer wieder überarbeiteter – Theorie trotz vielerlei Kritik nicht losgekommen ist, empfiehlt es sich, Bernsteins Modell und seine Begründung etwas näher anzusehen.

Die von Bernstein unterschiedenen Sprechweisen bezeichnet er als *code,* zu deutsch *Kode.* Dieser Begriff ist deshalb problematisch, weil er die Vorstellung des strikt Abgeschlossenen vermittelt – im Deutschen vielleicht noch mehr als im Englischen, da das Wort Kode hier lange Zeit fast nur für geheime Nachrichtensysteme benützt wurde und erst seit dem Vordringen der automatischen Informationsverarbeitung eine breitere Bedeutung hat. Tatsächlich meint Bernstein aber mit seinen beiden Kodes nicht in sich geschlossene sprachliche Systeme, sondern graduelle Abstufungen des Sprachgebrauchs, der Sprechweise. Bernstein unterscheidet einen *restringierten* (= eingeschränkten) Kode und einen *elaborierten* oder *differenzierten* (= ›verfeinerten‹) Kode.

| *restringiert*: | *differenziert*: |
|---|---|
| konkret | abstrakt |
| begrenzter Wortschatz | reicher, unterscheidender Wortschatz |
| simple Satzmuster | komplexe Konstruktionen<br>Nebensätze<br>Konjunktionen<br>Präpositionen |
| zielt auf Handeln | zielt auf Absicht, Begründung |

Dieses Schema hält nur die gröbsten Gegensätze fest. Bernstein, seine Mitarbeiter und Nachfolger operierten im Verlauf ihrer Experimente und Beobachtungen mit Dutzenden verschiedener sprachlicher Merkmale. Sie können hier nicht im einzelnen aufgeführt, doch sollen die Richtungen angedeutet werden, in denen sich die sprachliche Differenzierung äußert, welche beim restringierten Kode fehlt:

1. *Satzbau* – schwierigere Konstruktionen; Hypotaxe (Gebrauch von unterordnenden und untergeordneten Sätzen); zahlreiche Konjunktionen;
2. *Wortschatz* – mehr verschiedene Wörter, vor allem solche für die:
3. *analytische Differenzierung* – Präpositionen, Adjektive, Adverbien, Verberweiterungen;
4. *reflexive Differenzierung* – häufiger Gebrauch von ›ich‹; Betonung von Annahmen und Absichten, damit höherer Abstraktionsgrad. Mit dieser reflexiven Differenzierung hängt die »kompositorische Persistenz« zusammen: das Subjekt wird über viele Sätze weg durchgehalten; Begründungen und Folgerungen werden richtig plaziert, Argumente hierarchisch geordnet.

Der Zusammenhang zwischen diesen verschiedenen Merkmalsgruppen läßt sich zwar nicht immer exakt nachweisen, aber überwiegend ist ein solcher Zusammenhang doch gegeben: Wer komplizierte Sätze baut, braucht meist mehr verschiedene Wörter, mehr analytische Satzteile, braucht Abstraktionsfähigkeit und kompositorisches Durchhaltevermögen. Insofern ist also nur wenig dagegen einzuwenden, wenn bei den Erhebungen und Tests oft nur ein einziges Merkmal herausgegriffen wurde.

Problematisch ist die *soziale Zuordnung*. Für Bernstein ist der restringierte Kode die Sprache der *working class* (= Unterschicht), der differenzierte Kode die Sprache der *middle class* (= Mittelschicht). Bernstein faßte den Unterschied zunächst als den zwischen manueller und nicht manueller Arbeit; allerdings machte dann auch ihm das Ineinander und Durcheinander im sozial-statistischen Modell, von dem im vorigen Kapitel die Rede war, zu schaffen, so daß er die Unterschicht noch einmal unterteilte in *lower working class* (niedrigere Unterschicht) und *upwardly mobile working class* (Unterschicht mit Aufstiegsmobilität). Hier knüpfen Einwände gegen die Zweiteilung an; doch schließt die Tatsache fließender Übergänge meines Erachtens die Möglichkeit der Typisierung nicht aus – nur eine solche Trennung in Blöcke (die allerdings nach einheit-

lichen Kriterien vorgenommen werden muß) schafft die Chance aussagekräftiger Ergebnisse über die vorhandenen Tendenzen.
Für die verschiedenen Kodes in den verschiedenen Sozialschichten gibt Bernstein im wesentlichen zwei *Erklärungen.* Einmal weist er hin auf den Charakter der Sozialbeziehungen (und damit auch der sprachlichen Kommunikation) innerhalb der Arbeiterschaft. Er sieht diese charakterisiert durch einen starken Zusammenhalt, aber wenig persönliche Beziehungen, durch kollektive Orientierung, durch wenig sprachliche Anforderungen am Arbeitsplatz und auch sonst, wenig Möglichkeiten der Planung. Allgemeiner gesagt: der kommunikative Umsatz ist gering, der kommunikative Radius klein, das sprachliche Niveau entsprechend niedrig. Dazu kommt zweitens die häusliche Situation in der Arbeiterfamilie, welche das Kind bereits in der wichtigsten Phase der ›Sozialisation‹ auf die restringierte Sprache verweist. Es gibt in dieser Familie nach wie vor feste Positionen und eine ziemlich starre Rollenverteilung; dem steht die geringere Starrheit und größere Rollenvielfalt in der Mittelschichtfamilie gegenüber. Ein konkretes Beispiel vermag am schnellsten zu zeigen, was damit gemeint ist: Angenommen, ein kleiner Junge bemalt ein noch relativ neues Möbelstück. Restringierte (der Begriff läßt sich durchaus übertragen) Reaktion: die Mutter informiert am Abend den Vater, der dem Jungen eine Tracht Prügel verabreicht und ihn ohne weiteren Kommentar ins Bett schickt. Differenzierte Reaktion: Es kommt – was eine vorherige Affektreaktion nicht ausschließt – zu einer Auseinandersetzung zwischen den Eltern, von denen eines die Untat für gar nicht so schlimm hält; dem Jungen werden bemühte Erklärungen gegeben, warum man das nicht macht etc. Ob damit die anderen Möbel gerettet sind, braucht uns hier glücklicherweise nicht zu beschäftigen. Aber ganz unabhängig von dieser Frage des direkten Erziehungseffekts ist indirekt etwas anderes, enorm Wichtiges geschehen: der kleine Junge hat mitbekommen, wie sich Rollen in einer Situation erst ausdifferenzieren, und er hat sprachlich eine Menge dazugelernt.
Die beiden Erklärungen werden nicht unabhängig voneinander gesehen; vielmehr unterstellt die Sprachbarrierentheorie – so drückt es ihr prominentester deutscher Vertreter, *Ulrich Oevermann,* aus – »direkte Abhängigkeit der Kommunikationsstile in der Familie von den Sozialbeziehungen am Arbeitsplatz«, ein durchgehendes »subkulturelles Milieu« der Unterschicht, das sich von dem der Mittelschicht unterscheidet. In diesem Milieu bilden sich bestimmte Muster für den Versuch der Lösung von Problemen (und das heißt u. a. auch: sprachliche Muster), bestimmte – beschränkte – Strategien verbaler Planung heraus.

Diese Erklärung gehört aber zum theoretischen Rahmen, sie ist nicht etwa unmittelbar aus den praktischen Untersuchungen abgeleitet. Die *Tests* und Beobachtungen konnten naturgemäß weder in den Fabriksälen noch in den Arbeiterwohnungen durchgeführt werden; sie fanden vielmehr fast ausschließlich in der Schule statt. In den Versuchsgruppen waren stets Unterschicht- und Mittelschichtkinder zusammen und hatten die gleichen Aufgaben zu lösen. Meistens handelte es sich um einen größeren Katalog sprachlicher Leistungen, die gefordert wurden. So mußte vielfach ein Aufsatz geschrieben werden; in Einzelfällen wurden auch zwei Aufsätze verlangt zu Themen, die sich nach ihrem Abstraktionsgrad unterschieden. Dann wurden häufig schriftliche Satzergänzungsaufgaben gegeben, bei denen fehlende Satzteile aufgrund des Kontexts ausgefüllt werden mußten. Weiter wurde mit Diskussionen gearbeitet, und schließlich spielte in einer Anzahl von Versuchen auch das direkte Interview eine Rolle. Die schriftlichen und mündlichen Äußerungen der Kinder wurden nach sprachlichen Merkmalen geordnet und dann den — aufgrund sozialstatistischer Daten getrennten — Blöcken der Unterschicht einerseits, der Mittelschicht andererseits zugewiesen. Nicht immer, aber doch in der weit überwiegenden Zahl der Fälle ergab sich ein Plus von Merkmalen differenzierter Sprache bei der Mittelschicht, ein Mehr an restringierten Merkmalen bei der Unterschicht.
Daß die Versuche fast alle in der *Schule* durchgeführt wurden, ist verschiedentlich kritisiert worden. Tatsächlich wird so zunächst einmal sprachliches Verhalten gemessen, wie es sich im Lauf der Schulzeit herausgebildet hat, und der Rückschluß auf die Bedingungen des Elternhauses fordert einen gewissen Sprung. Auch beeinflußt die Schulsituation die Versuche: die jeweiligen Versuchsleiter waren ja doch in keinem Fall Vertreter der Unterschicht, und es wurde beobachtet, daß Unterschichtkinder ihnen oft sehr scheu gegenübertraten, während andere einigermaßen vertrauens- und erwartungsvoll grüßten. Auch die bereits erfolgte Vorauswahl in den Gymnasien und Realschulen (hier fanden die meisten Versuche statt, weil einerseits ein gewisses Sprachvermögen vorausgesetzt wurde und weil andererseits eine breite Streuung über die sozialen Schichten weg vorliegen sollte) wurde kritisiert: unter den Mittelschichtkindern wurden beim Übergang zu den höheren Schulen nur die schwachen ausgesiebt, während aus der Unterschicht auch erfolgreiche Kinder oft in der Volksschule verbleiben. All diese Einwände lassen sich aber insofern relativieren, als die Versuchsanordnung jedenfalls keine künstliche Situation schafft; sie verlängert vielmehr die übliche Schulsituation, die ja doch für die Frage des Lernerfolgs entscheidend ist.
Gewichtiger ist ein anderer Einwand, der ebenfalls bei den

Versuchen ansetzt, aber dann darüber hinausführt und zentral auf die gesamte Theorie zielt. Deutscher Aufsatz, Satzergänzungsübungen und bis zu einem gewissen Grad auch Schuldiskussionen – das sind, schlagwortartig gesagt, recht ›bürgerliche‹ Gattungen. Der Verdacht drängt sich auf, daß mit *diesen* Testgegenständen von vornherein auf ein Ergebnis zugearbeitet wird, bei dem die Angehörigen gehobener Sozialschichten überlegen sein *müssen*. Damit ist bereits der sehr viel weitergehende Einwand anvisiert, der sich in der Frage ausdrückt, ob nicht die Kategorien der sprachlichen Zweiteilung einseitig von den Vorstellungen und Normen der Mittelschicht ausgehen, ob dabei nicht mit Werten operiert wird, die zwar im Hinblick auf die höhere Schule – zumal in ihrer heutigen Form – und vielleicht auch im Hinblick auf eine bestimmte Gruppe geistiger Berufe sofort einleuchten, bei denen es sich aber fragt, ob sie unter gesamtgesellschaftlichem Aspekt zu vertreten sind. Bernstein selber hat diesen Einwand vorweggenommen und immer wieder einmal auf den *Eigenwert des restringierten Kodes* hingewiesen; er darf nach seiner Auffassung »nicht mit Geringschätzung angesehen werden«, und gelegentlich erkennt er ihm eindeutige Vorzüge zu: »Metaphorik von beachtlicher Kraft, Einfachheit, Unmittelbarkeit, Vitalität und Rhythmik«.
Eine solche Bewertung erinnert an das herkömmliche Lob des *Dialekts* und seiner zupackenden Konkretheit, und es mag naheliegen, sie als romantische Verschleierung beiseitezuschieben. Aber es scheint mir doch sinnvoll, zu fragen, warum eine solche Charakterisierung möglich ist, und die eventuellen positiven Qualitäten der restringierten Sprache nicht einfach zu ignorieren. Dies ist deshalb wichtig, weil die theoretische Bestimmung von Sprachbarrieren fast immer auf die Praxis zu ihrer Überwindung angelegt ist; ein Konzept *»kompensatorischer Spracherziehung«* aber muß zuerst untersuchen, was nötig und was möglich ist.
Unsere Welt, so könnte man mit Niklas Luhmann und anderen argumentieren, ist so kompliziert geworden, daß die *»Reduktion von Komplexität«* zu den schlechthin lebensnotwendigen Bedingungen zählt. Dies aber leistet die restringierte Sprache – Reduktion ist ein anderer Aspekt von Restriktion. Der restringierte Kode ist zudem in seinem Bereich außerordentlich *funktionstüchtig*; was weitaus die meisten Situationen an sprachlicher Ergänzung fordern, das leistet der restringierte Kode besser, verständlicher, weniger umständlich als der elaborierte oder differenzierte. Auch als soziales *Kontaktmittel* und als Ausdruck der *Solidarität* eignet er sich möglicherweise besser. Dazuhin muß an die Schwierigkeiten erinnert werden, die für Kinder und Jugendliche entstehen müssen, wenn sie ihrer bisherigen Sprache (im weitesten Sinne) *entfremdet* wer-

den — Schwierigkeiten sozialer Art und vielleicht auch psychische Brüche.
Solche Feststellungen freilich könnten leicht Beifall von der falschen Seite erhalten: eigentlich könnte man ja dann alles beim alten belassen. Aber dem stehen dann doch sehr gewichtige Argumente entgegen. Einer der Ausgangspunkte für die Sprachbarrierentheorie war ja doch die Proklamation der *Chancengleichheit*, und es kann kein Zweifel bestehen, daß restringierter Sprachgebrauch diese Chancengleichheit in Frage stellt. Dies gilt nicht einmal nur hinsichtlich besonders gehobener Berufe; vielmehr ist es so, daß in immer mehr Berufen auch sprachliche Qualifikationen der einen oder anderen Art erforderlich sind und daß immer weniger Lernprozesse ohne Sprache vermittelt werden können. In diesem praktischen Zusammenhang wird deutlich, daß »Sprachbildung« — so dünnblütig und akademisch dieses Wort zunächst klingen mag — gleichzeitig ein Stück Bewältigung der Wirklichkeit und des Lebens ist. Dies gilt auch im Blick auf eine zweite Forderung, die durch Sprachbarrieren gefährdet ist: eine möglichst demokratische *Öffentlichkeit*. Politische Entscheidungsprozesse setzen offene Diskussion, Diskussion setzt sprachliche Fertigkeiten voraus — und zwar nicht nur im Sinne von Wortgewandtheit, sondern im Sinne der Fähigkeit, auch kompliziertere und abstraktere Zusammenhänge zu erkennen und darzustellen. Damit klingt schon ein drittes an: daß sinnvolle »Reduktion von Komplexität« eine gewisse *Differenzierungsfähigkeit* voraussetzt. Das allzu rasche Lob des Restringierten, Einfachen, ›Volkstümlichen‹ geht meist von einem überholten Bild der Sozialbedingungen aus. Die Solidarität der restringierten Sprecher ist ja doch im allgemeinen kaum mehr die der ideologisch verbundenen Arbeiterklasse; die soziale Einheit, die der restringierte Kode schafft, ist kaum mehr persönliche nachbarliche Verbundenheit — es ist vielmehr die Solidarität und Einheit derer, die widerstandslos der BILD-Zeitung und ähnlichen Massenmedien ausgeliefert sind, welche sehr genau den Ton der restringierten Sprache treffen.
Die Forderung kompensatorischer Spracherziehung ist also sinnvoll und notwendig; sie ist allerdings nur schwer zu erfüllen. Bei der Praxis solcher Spracherziehung sollten in der Tat die positiven Eigenschaften des restringierten Kodes beachtet werden. Zum Teil geht es gar nicht um kompensatorische, sondern einfach um *andere* Spracherziehung; die Sperren, die durch ganz spezifische sprachliche Prüfungsqualifikationen in den Bildungsgang eingebaut sind, können und sollten zum Teil beseitigt oder geändert werden. Anfänge dazu sind schon gemacht. Darüber hinaus ist vor allem wichtig, daß die sprachliche Differenzierung als Ausdruck sozialer Differenzierung,

als Begleiterscheinung – und freilich auch wieder Voraussetzung – eines vielfältigen und ernsten Rollenspiels gesehen wird. Die Sprachlehre, die dem Schüler an vorgefertigten Mustern oder an literarischen Beispielen die feinnuancierten Unterschiede zwischen *eilen, rasen, hasten, rennen, laufen* etc. zu vermitteln sucht, ist sicher nicht nutzlos; aber sie bleibt äußerlich gegenüber den Fällen, in denen die Sprache sehr viel unmittelbarer als Instrument zur Bewältigung von Problemen empfunden wird. Insofern läßt sich die Behauptung aufstellen, daß Sprachbarrieren am sichersten abgebaut werden durch die aktive Beteiligung an verantwortlichen Entscheidungen von wachsendem Schwierigkeitsgrad.

## Lernsprache

Gegenüber dem Gedanken kompensatorischer Spracherziehung sind vor allem drei grundsätzliche Einwände erhoben worden. Der erste: kompensatorische Spracherziehung ist lediglich eine Symptomkur, eine Art schöngeistiger Retusche an einer Wirklichkeit, die von Grund auf – und das heißt vor allem: in ihren ökonomisch-politischen Verhältnissen – neugestaltet werden müßte. Einiges an diesem Einwand ist richtig und muß bedacht werden. Bernstein unterscheidet zwar in seiner Sprachbarrierentheorie zwei verschiedene *classes*; aber dieser englische Begriff meint nicht *Klasse* im Sinne eines antagonistischen Gesellschaftsmodells. Geht man von diesem aus, so liegt die heutige Trennlinie zwischen den Klassen weiter oben. Unterschicht und Mittelschicht gehörten dann weithin zur gleichen Klasse; die davon abgesetzte, verhältnismäßig kleine Oberschicht dürfte allerdings kaum durch wesentlich andere sprachliche Merkmale definiert sein als die Mittelschicht. Schon diese Festlegung im Gesellschaftsmodell zeigt, daß die für die Herrschaftsstruktur maßgebliche Gliederung durch die Öffnung der Sprachbarrieren zwischen Unter- und Mittelschicht kaum berührt wird. Insofern ist kompensatorische Spracherziehung gewiß keine eigentlich revolutionäre Idee. Aber es läßt sich dagegen fragen, ob in unserer differenzierten Wirklichkeit Revolution – mindestens im banaleren Sinn des Wortes – nicht eine allzu restringierte Vorstellung ist. Ein Mittel, das sozialen Wandel erleichtert und die herkömmlichen Strukturen – und sei es auch nur in einem Teilbereich – in Frage stellt, sollte jedenfalls mit Hilfe allzu globaler Forderungen nicht vorschnell abgewertet werden.
Der zweite prinzipielle Einwand zielt auf den einseitig *sprachlichen* Akzent der kompensatorischen Erziehung. Adorno kri-

tisierte einmal die sogenannte Volksbildung mit der Feststellung, man könne nicht »den gesellschaftlichen Ausschluß des Proletariats von der Bildung durch bloße Bildung revozieren«. Die Gefahr solcher Bildungsorientierung besteht auch hier, und es ist gut, daß an die Versuche und Entwicklungspläne kompensatorischer Spracherziehung immer wieder die Frage gerichtet wird, ob nicht die Festlegung auf *Sprache* von vornherein eben die Konstellation zementiert, die eigentlich aufgelockert werden sollte. Einige Autoren haben die Folgerung gezogen und setzen die kompensatorische *Sprach*erziehung außerhalb des im engeren Sinne Sprachlichen an; so sieht beispielsweise Regine Reichwein in der mathematischen Mengentheorie ein Mittel, über *Sach*logik auch die *Sprach*logik zu fördern. Aber nicht umsonst rede ich vom »im engeren Sinne Sprachlichen«, denn in einem weiteren Sinne prägt es natürlich auch solche Gegenstände des Lernens, und wie mit einer Einwirkung der Sachlogik auf die Sprachlogik gerechnet wird, so ist es andererseits unwahrscheinlich, daß ein Vorsprung in der Sprachlogik nicht auch den sachlogischen Weg erleichtert und verkürzt. Die Überwindung des Einseitig-Sprachlichen muß vermutlich in anderer Richtung versucht werden; *daß* sie versucht wird, ist aber jedenfalls eine wichtige Forderung.

Der dritte Einwand setzt an beim Stichwort *kompensatorisch*: Im allgemeinen ist damit ja gemeint, daß etwas nachgeholt werden muß, was früher versäumt wurde. Aber wenn so kompensiert werden muß, ist es meist schon zu spät. Die bekannteste Folgerung, die aus diesem Einwand gezogen wurde, ist die Forderung organisierter *Vorschulerziehung*. Die Bereitschaft dazu ist in den letzten Jahren gewachsen; die Verwirklichung aber ist ausgesprochen langwierig. Dies bringt die Gefahr mit sich, daß sich die Schere zwischen dem Startpunkt der Unterschichtschüler und dem der Mittelschichtschüler noch mehr öffnet, denn im Augenblick ist es noch so, daß Vorschulerziehung weitgehend in mehr oder weniger privater Initiative liegt, und das heißt praktisch: daß Mittelschichteltern einiges tun, um den Vorsprung ihrer Kinder gegenüber den Kindern der Unterschicht noch zu vergrößern. Diese Übergangserscheinung kann aber nicht bedeuten, daß die Forderung sinnlos ist. Sie ist vielmehr außerordentlich wichtig, da ein großer Teil der sprachlichen Strukturierung und Bildung tatsächlich längst erfolgt ist, wenn die Schulzeit beginnt.

Allerdings: ein nicht ganz kleiner Teil sprachlicher Entwicklung liegt auch noch *vor* der künftigen Vorschule, und es ist verständlich, daß konsequente Vertreter der kompensatorischen Erziehung die Vorschulzeit schon mit dem dritten Lebensjahr ansetzen wollen. Würde die Forderung damit nicht immer utopischer, müßten sie sogar noch um ein Jährchen weiter zurückgehen: schon mit dem Beginn des zweiten Lebensjahres wurden in verschiedenen Tests bedeutende Unterschiede festgestellt, in denen sich die späteren Kode-Unterschiede ankündigen. Bis zum Ende des ersten Lebensjahres dagegen wirkt sich die Bedingung der Sozialschicht offenbar weniger aus. Die Erklärung könnte gesucht werden in einer Auffassung, die etwa von Anna Freud vertreten wurde: daß nämlich alle Sprachakte während des ersten Lebensjahrs durch »oral-libidinöse« Antriebe bestimmt, also nicht durch kulturale Bedingungen der Außenwelt geprägt sind. Daß dies für die allererste Entwicklung gilt, liegt auf der Hand: das »Alarmschlagen« der Säuglinge hat Signalcharakter und wird ähnlich eingesetzt wie entsprechende tierische Lautzeichen. Aber auch das behagliche Lallen des Kindes ist triebhafte Äußerung; von *Kainz* wird es als »funktionslustvolles Spiel mit seinen Artikulationsorganen« bezeichnet und mit dem Strampeln verglichen, bei dem der motorische Apparat ebenso geübt wird wie beim Lallen die Sprechapparatur. Sprache hat sich hier noch nicht verselbständigt; sie gehört zusammen mit Mimik und Gebärden zur tastenden Auseinandersetzung mit der diffusen, noch nicht begriffenen Umwelt. Auch die Auswahl der Laute, die zunächst zur Verfügung stehen, scheint nicht von der Sprache der Umwelt abhängig zu sein; wenn *m, b* und *p* zu den ersten Konsonanten gehören, die das Kind gebraucht, dann ist dies wahrscheinlich darauf zurückzuführen, daß die Lippenmuskeln durch den Saugvorgang dazu präpariert sind. Roman Jakobson hat die These ausgesprochen, daß Kinder zunächst überall auf der Erde das – ungefähr – gleiche Lautinventar entwickeln und daß sich erst zuletzt die für die jeweiligen Kultursprachen charakteristischen Laute herausbilden. Selbst gewisse Bedeutungen sind nahezu universal, so etwa die Verbindung *m* + *Vokal* + *m* für das Aufnehmen von Nahrung. Ja selbst bei Begriffen, die man von den Erwachsenen übertragen glaubt wie *Mama* und *Papa,* scheinen die Kinder führend oder doch aktiv an der Herausbildung beteiligt; nur so ist es zu erklären, daß lautverwandte Wörter mit derselben Bedeutung wie Mama und Papa in vielen, keineswegs miteinander enger verwandten Sprachen auftauchen.

Die völlige Rückführung der Sprache des ersten Lebensjahres auf triebhafte Ausdrucksgestaltung dürfte indessen widerlegt sein. Eine Reihe sprachpsychologischer Versuche hat gezeigt, daß Art und Intensität der sprachlichen Zuwendung durch die Pflegepersonen schon die Lautäußerungen von nur drei Monate alten Kindern beeinflussen und daß ungefähr halbjährige Kinder ihre Bezugspersonen, zu denen sie eine ausgesprochen enge Bindung entwickeln, lautlich zu imitieren beginnen. Außerdem ist das Festwerden von Bedeutungen grundsätzlich – zumin-

dest *auch* – kultural und damit sprachlich vorgeprägt. Dies gilt bereits für die Fixierung bestimmter Wünsche, die ja von Anfang an auch einer gewissen Dressur unterliegen (man denke an Häufigkeit und Art des Nahrungsangebots) und die eben auch von den Pflegepersonen signalisiert werden; es gilt aber mehr noch für die oft gegen Ende des ersten Lebensjahres einsetzende Begriffsbildung, die Benennung von Gegenständen. Dabei kommt es vor, daß Kinder das Allerweltsmaterial ihrer Lallsprache entschieden beiseiteschieben und gerade sehr spezifische Mittel verwenden: für *Licht* wird dann beispielsweise *-cht* gesagt und nicht *i* oder *li*, weil dies zu sehr an das undifferenzierte Lautspiel anklingt, während die schwierige Konsonantenfolge *-cht* sich davon absetzt. Daß solche Differenzierungen sprachlich vorgeprägt sind, liegt auf der Hand.
Wenn also bis gegen Ende des ersten Lebensjahres zwar Heimkinder deutlich in ihrer sprachlichen Entwicklung zurückbleiben, die Unterschiede zwischen Unterschicht- und Mittelschichtkindern dagegen verhältnismäßig gering sind, dann ist dies nicht nur auf die triebhafte Selbststeuerung des Sprechapparats zurückzuführen, sondern es muß andere Gründe dafür geben. Einer dürfte darin liegen, daß beim geringen Umfang des sprachlichen Instrumentariums die Unterschiede nicht groß sein *können* – das würde freilich bedeuten, daß sich auch in den relativ kleinen Unterschieden bereits nachhaltig der spätere Rückstand ankündigt. Andererseits muß mit der Möglichkeit gerechnet werden, daß in dieser *frühen Phase* die sprachlich bedeutsamen Erziehungsumstände in Unterschicht- und Mittelschichtfamilien gar nicht so verschieden sind. Tatsächlich dürften die Pflegekontakte während der ersten Monate in Unterschichtfamilien im Durchschnitt nicht wesentlich geringer sein als bei Angehörigen der Mittelschicht; die Konzentration auf *eine* Bezugsperson, die sich sprachlich zunächst günstig auswirkt, ist meist schon dadurch gegeben, daß die Betreuung in den ersten Wochen und Monaten oft sehr viel eindeutiger als in gehobenen Schichten bei einer einzigen Person liegt; und es ist auch kaum anzunehmen, daß die Menge sprachlicher Zuwendungen und damit Anregungen auf dieser allerersten Stufe geringer ist. Auf die Qualität dieser Anregungen scheint es in dieser Phase noch nicht so sehr anzukommen – was übrigens auch auf die betuliche *›Babysprache‹* (die man besser Tantensprache nennen sollte) ein versöhnliches Licht wirft: selbst idiotische Äußerungen wie *ei-dei-dei, da-da-da-da,* mit denen Erwachsene sich den Kindern anzupassen glauben, wirken in diesem Stadium wohl nicht unbedingt restriktiv, sondern bis zu einem gewissen Grade anregend.
Anhand dieser besonderen, simulierten ›Kindersprache‹ wird aber andererseits schnell klar, welche Bedeutung der Qualität

sprachlicher Anregungen in *späteren* Entwicklungsphasen zukommt. Zwar macht auch diese Sprache eine gewisse Entwicklung durch, an die Stelle bloßer Lautspiele treten Wörter mit kindertümlicher Lautverschiebung (*wer kommt denn da?*) und infinitivische Kurzsätze (*Benno essen*). Manche Erwachsene, auch manche Eltern, kommen von dieser Sprache erst richtig los, nachdem ihre Kinder sie – dank außerfamiliärer Anregungen – überrundet haben. Auch dann noch bleibt ihnen aber ein Betätigungsfeld: das Gespräch mit *Ausländern.* Es läßt sich immer wieder beobachten, wie selbst verhältnismäßig korrekt Deutsch sprechende Ausländer auf ihre Fragen keineswegs korrekte, sondern kindlich konstruierte Antworten erhalten. Auch der Umgang mit Gastarbeitern bietet Beispiele für diese seltene Kommunikationsform. *Dieter Meichsner* hat davon in seinem Fernsehspiel »Der große Tag der Berta Laube« ausgiebig Gebrauch gemacht. Hier ist einer der zahlreichen Appelle, welche die pflichtbesessene deutsche Vorarbeiterin an ihre türkischen Arbeitskollegen richtet:

»Halt, Achmed, nich' auf die Uhr sehn – heute nix Mittagspause. Seht mal, jetzt könnt Ihr mal sehn, wie ich Euch immer erzählt habe. Hier is jetzt Auftrag, vite-vite, Tempo, Kunde warten. Sind wir pünktlich, Montage pünktlich, exakt, gut. Kunde gut, Kunde zufrieden, exakt. Neu Auftrag, gut für Firma, gut für Dich, für mich, immer neu Auftrag. Ihr viel Geld nach Haus schicken, compris? Aber was is, wir nich' pünktlich, nich' exakt, kann drüben nich' montiert werden, nix Montage, nich' fini: Kunde nicht zufrieden, Kunde muß warten, kein Geld, für Euch, für mich, Ihr kein Geld nach Haus schicken, Eure Mama traurig, compris? So, und nu' weitermachen, zwischendurch Stullen essen. Kriegst auch von mir, Achmed, nich am Essen sparen, nich' hungern, auch gut essen is' wichtig, gut essen is gut fleißig sein.«

Nicht nur die Sprecherin, auch ihr Adressat aus dem Ausland weiß in diesem Fall, daß dies eine sehr merkwürdige Sprache ist. Wenn er auch nur einigermaßen Deutsch spricht und vor allem versteht, ist jene Sprache für ihn so wenig wie für die Sprecherin verständlicher und einfacher als normales Deutsch; symptomatisch sind die eingestreuten fremdsprachlichen Vokabeln, die ja keineswegs türkisch, sondern französisch und für den Gastarbeiter wohl trotz ihrer sonstigen Gängigkeit nicht völlig eingängig sind. Nicht aus Gründen der Sprachökonomie, sondern aus Gründen der Sprachkonvention pendelt sich die Unterhaltung in solchen Fällen auf das kuriose Reduktionsdeutsch ein.

Daß dieses zumal bei häufigem Gebrauch nicht wesentlich zur Förderung des sprachlichen Vermögens beiträgt, ist klar – und dies gilt für die Kommunikation mit Kindern so gut wie für die mit Ausländern: die sprachlichen Merkmale sind in beiden Fällen ähnlich. Der Stakkatostil fällt auf, die aneinandergereihten kurzen Sätze, die oft nur aus ein oder zwei Wörtern bestehen. Die Wörter haben hier, wie in den Anfängen begrifflicher Kindersprache, stellvertretende Funktion; es sind strenggenommen gar nicht Wörter im Sinne der *Bestandteile* eines Satzes, sondern es sind drastisch verkürzte *Sätze.* Gerade an der Satzlänge wird von vielen Forschern die sprachliche Entwicklung abgelesen. Friedrich Kainz etwa gibt die folgenden Zuordnungen:

| | |
|---|---|
| Einwortsätze | ab ca. 1 Jahr |
| Zweiwortsätze und Wortaggregate (ungeformte Mehrwortsätze) | ab ca. 1 1/2 Jahre |
| einigermaßen geformte Mehrwortsätze | ab ca. 2 Jahre |
| Satzverbindungen (Parataxen) | ab ca. 2 1/2 Jahre |
| Satzgefüge und Nebensätze (Hypotaxen) | ab ca. 3 Jahre. |

Solche Aufstellungen – dies muß betont werden – sind nicht ganz ungefährlich. Sie sind in Elternzeitschriften und Illustrierten aller Art sehr beliebt, denn sie sind verkaufsfördernd: wer von den Eltern wäre nicht daran interessiert zu erfahren, ob sein Kind auf der Höhe der Sprachentwicklung ist? Meistens wird aber nicht genügend betont, daß es sehr häufig und in weitaus den meisten Fällen ganz unbedenkliche *Phasenverschiebungen* gibt, denen die starre Tabelle nicht gerecht wird. So viel aber läßt sich sagen, daß eine Redeweise wie die zitierte, wird sie gegenüber einem 3jährigen angewandt, diesen sprachlich um etwa ein Jahr zurückstuft.

Auffallend ist an dem zitierten Text auch, daß sachliche Differenzierungen auch dort über den *Wortschatz* vorgenommen werden, wo in richtigem Deutsch grammatische (genauer gesagt: ›morphematische‹) Mittel verwendet werden. Der Schlußsatz mit der Steigerung *gut fleißig sein* ist hier charakteristisch; er erinnert an kindersprachliche Formen wie *viel gut*, die vor der Herausbildung der Flexion durchaus üblich sind. Hierher gehört auch die durchgängige Verwendung des Infinitivs bei Verben (*Melanie essen*) und der häufige Gebrauch des Nominativs bei Substantiven (Zu wem gehst du? *Der Papa*). Die Grammatik stellt an sich Möglichkeiten zur Differenzierung bereit; aber diese Differenzierung wird konkreter und umständlicher durch zusätzliche Wörter erreicht. Vollends schwierig wird es für ein Kind, wenn es eine bestimmte grammatische Differenzierung erlernt und begriffen hat, diese aber dann gewissermaßen ›überzieht‹ – wenn es also z. B. sagt: *ich singte, ich trinkte, ich fliegte.* Hier funktioniert ein Teil des sprachlichen Systems, denn tatsächlich ist diese *schwache* Flexion von Verben ja die häufigere und üblichere – aber gerade deshalb reicht es nicht aus, wenn solche Formen (sei es, weil man sie

kaum bemerkt oder weil man sie »drollig« findet) unkorrigiert stehenbleiben und sich verfestigen.
Es ist kein Zufall, daß bei diesen Beobachtungen Charakterisierungen wie »differenziert« oder »konkret« eine Rolle spielen. Tatsächlich werden hier wichtige Weichen gestellt. Man hat in der Sprachentwicklung unterschieden zwischen einem *Substanzstadium* (Überwiegen der Hauptwörter), einem *Aktionsstadium* (Vordringen von Zeitwörtern) und einem *Qualitäts- und Relationsstadium* (Flexionsformen, Eigenschaftswörter, Adverbien, Präpositionen, Konjunktionen usf.). Sprachlich zurückgebliebene Kinder haben zwar im allgemeinen eine ähnlich große Zahl von Substantiven und auch von Verben zur Verfügung wie die anderen; aber es fehlt ihnen meist an den Möglichkeiten, Beziehungen und Eigenschaften genau und nuanciert auszudrücken. Und man geht wohl kaum fehl in der Annahme, daß das sprachliche Milieu in der Unterschicht hier ein kleineres Angebot bereithält.
Es geht also selbstredend nicht nur darum, daß die Tantensprache Kinder auf einer an sich schon überholten Stufe fixiert; vermutlich ist dieses bemühte Tantendeutsch bei Angehörigen der Mittelschicht sogar mehr verbreitet. Das Beispiel dieses Reduktionsdeutsch soll vielmehr allgemeiner deutlich machen, daß der Spracherwerb der Kinder – man hat ihn als die größte geistige Leistung des Menschen überhaupt bezeichnet – nun zunehmend der *Anregung*, der kommunikativen Hilfe bedarf. Da Unterschichtkinder meist früher verselbständigt werden, gewinnen sie zwar mehr sachliche Experimentierfreiheit, die ihnen vielfach einen praktischen Vorsprung gegenüber anderen Kindern bringt; aber die geringere und undifferenziertere sprachliche Zuwendung wirkt sich negativ auf das Sprachvermögen aus. Die *Lallphase* geht bei Kindern ziemlich direkt über in eine Phase, in der das Kind mit *»Echowörtern«* spielt; mit nur halb oder auch gar nicht verstandenen aufgeschnappten Ausdrücken. Dieses Sprachspiel dient der weiteren Ausbildung des Instrumentariums, und zwar nicht nur im Bereich der Artikulation, sondern auch auf der Ebene der Bedeutung. In dieser Zeit erdichten Kinder »Privatsemantika«, d. h. Begriffe, die nur ihnen selbst etwas bedeuten – am charakteristischsten sind hier wohl die Namenserfindungen für Tiere, Puppen etc., und nicht selten wird gerade mit diesen privaten Begriffen auch die Abstraktion geübt, da das so Bezeichnete ja vielfach eben *nicht* konkret zuhanden, sondern erfunden ist. Die Annahme ist wohl nicht unbegründet, daß derart fabulierende Kinder in beengten Wohnverhältnissen und unter den sonstigen erschwerenden äußeren Bedingungen der Unterschicht häufiger in den Bereich des Konkreten oder auch des Schweigens zurückgepfiffen werden als Kinder zumal der oberen Mittelschicht. Jene

Kinder haben damit auch weniger Gelegenheit und Anreiz, geordnete und damit ordnende Sätze zu bilden; ihre sprachlichen Äußerungen beschränken sich wie die der sie umgebenden Erwachsenen weitgehend auf kurze konkrete Hinweise, sprachlich ›unvollständig‹, aber aus der Situation heraus verständlich. Doch auch diese Situationen selber sind wahrscheinlich weniger mannigfaltig, so daß nicht nur die im engeren Sinne sprachlichen Mittel weniger entwickelt werden, sondern auch die der kommunikativen Einschätzung: wenn verschiedene *Rollen* eine verschiedene *Sprache* fordern, dann heißt dies ja nicht nur, daß jeweils verschiedenes Vokabular notwendig ist, sondern auch, daß gelernt wird, wann, wo und auf welche Weise in den verschiedenen Situationen gesprochen wird.
Beim *Schuleintritt* wirkt sich sowohl der sprachliche Rückstand im engeren Sinne wie jenes allgemeinere kommunikative Manko negativ aus. Das Sprachliche wird in der Schule vielfach aus der Situation gelöst, wird verselbständigt. Äußeres Zeichen dafür ist, daß die Sprechenden ruhig stehen oder sitzen sollen — und diejenigen, die zuhören, auch. Diese Anforderung ist gerade von denjenigen Kindern am schwersten zu erfüllen, die sprachlich weniger gewandt sind und bei denen das Sprachliche ersetzt und ergänzt wird durch Motorik, durch Bewegungen aller Art. Zudem laufen Kinder, die sprachlich bereits im Rückstand sind, Gefahr, daß sie durch die Leistungen ihrer Mitschüler entmutigt werden und bald verstummen. Nicht selten geschieht dies auf dem Umweg über das eifrige, aber vergebliche Bemühen der Anpassung: die Kinder fallen dann durch *»hyperkorrekte«* Formen auf, durch komplizierte Konstruktionen und übertriebene Betonung — und dies führt unweigerlich zur Lächerlichkeit und damit zur Abseitsstellung. Wenn mehrfach festgestellt wurde, daß die Fähigkeiten der »Dekodierung«, also des Entzifferns, des Verstehens von Sprache, bei den beiden Gruppen nicht unterschiedlich sind, daß dagegen die Fähigkeit der »Enkodierung«, des aktiven Sprachvermögens, bei Unterschichtangehörigen begrenzt ist, dann mag dies auf diese spezifisch schulische Konstellation zurückzuführen sein.
Dies sind nur wenige Hinweise auf die besonderen sprachlichen Anforderungen und Lernbedingungen beim Schuleintritt. Sie können aber doch deutlich machen, daß auch in dieser Phase kompensative Spracherziehung kein leeres Schlagwort sein muß, und dies gilt nahezu für die *ganze* Schulzeit. Martin Keilhacker hat auf eine ganze Reihe sprachlicher Differenzierungen aufmerksam gemacht, die sich erst zwischen dem 10. und 14. Lebensjahr herausbilden. Auch hier handelt es sich um sprachliche Mittel, die entweder einem höheren Abstraktionsgrad entsprechen (z. B. gefühlsbetonte Abstrakta oder auch

substantivische Verben) oder feinere Differenzierungen von Qualitäten erlauben (nuancierende Eigenschaftswörter wie hübsch, nett, niedlich etc.) oder die Darstellung der Relationen präziser machen (bestimmte Satzgefüge, vor allem im Zusammenhang mit schwierigeren gedanklichen Verbindungen). Daß in dieser *späten Phase* des Spracherwerbs die vorausgegangene Sprachentwicklung des einzelnen mit maßgebend ist, versteht sich; aber die ›Matrizen‹ sind wohl noch nicht so tief eingraviert, daß eine konsequente Spracherziehung nicht doch noch einiges erreichen könnte.

Freilich: daß sprachlich *irgend etwas* getan wird, reicht sicher nicht aus; und beschränkt sich kompensatorische Spracherziehung auf das herkömmliche Sprachtraining, so trägt möglicherweise auch sie noch zum »kumulativen Defizit«, zur Vergrößerung des Abstandes zwischen den Sprechern des differenzierten und denen des restringierten Kodes bei. Ein Modell sinnvoller Spracherziehung kann hier nicht entworfen werden. Doch sollen ein paar der Bedingungen für ein solches Modell hier noch einmal erwähnt werden. Vorbedingung ist die Einsicht der *Lehrer* in die hier skizzierten Zusammenhänge. Die aufklärerische »Wochenschrift zum Besten der Erziehung der Jugend« aus dem Jahr 1772 beklagt sich darüber, daß die Lehrer meistens »selbst im Bauren-Dialect« reden, daß sie aber dann, wenn sie bei den Schülern auf die »Cultur der Mutter-Sprache« drängen, bei ihren Vorgesetzten Schwierigkeiten bekommen. Hier also erscheint Sprache und sprachliche Differenzierung als bewußt eingesetztes Herrschaftsinstrument. Davon kann heute kaum mehr die Rede sein; aber der Glaube an die Unveränderlichkeit von Anlage und Begabung steht vielfach noch einer Praxis im Weg, die allen die gleichen Chancen zu geben wenigstens *versucht*. Eine zweite Vorbedingung wäre das Verständnis der *Eltern*. Immer wieder wird in den Vorschlägen zur kompensatorischen Spracherziehung darauf hingewiesen, daß Zusammenarbeit mit dem Elternhaus notwendig ist. Demgegenüber ist eingewandt worden, daß dies doch schon daran scheitere, daß in vielen Arbeiterhaushalten nicht einmal Tinte, Bleistift und Papier vorhanden seien. Der Einwand zeigt die Schwierigkeiten; aber andererseits dürfte aufklärende Tätigkeit gegenüber den Eltern nicht hoffnungslos sein – dies beweist der Erfolg von Aktionen der »Bildungswerbung«.

Allerdings operieren die Theoretiker und Praktiker der kompensatorischen Erziehung vielleicht allzusehr mit den beiden Faktoren Schule und Elternhaus, während doch gerade im Schulalter äußerst wichtige Sozialisationsanstöße *außerhalb* dieser Institutionen gesucht werden müssen. Die Gleichaltrigen, die Spielkameraden, die jugendlichen Bezugsgruppen aller Art reden bei der sprachlichen Fixierung und Entwicklung von

Kindern ein gewichtiges Wort mit. Gerade in diesen Gruppen dominiert aber vielfach der *Dialekt* und *restringierte Sprache* – einmal aufgrund des hohen Grades von Einverständnis, der in diesen Gruppen herrscht und kompliziertere sprachliche Verständigung vielfach erübrigt, zum andern aber auch im Sinne einer *Kontrasprache,* die sich gegen das normierte Schuldeutsch richtet. Andererseits wird jenes gehobene Deutsch ohne weiteres akzeptiert, wo es durch *Massenmedien* geboten wird. Die schwierige Aufgabe besteht demnach darin, diese sehr verschiedenen Anstöße miteinander zu verbinden und zu vermitteln. Eine umfassendere Möglichkeit dazu besteht wohl nur bei Schultypen, die stärker in den Freizeitbereich übergreifen. Bei andern kann aber wenigstens die Richtung eingeschlagen werden, indem die *Rollenspiele* vom Nur-Sprachlichen weggeführt werden und indem ihnen ihre Künstlichkeit genommen wird. Sobald es um *ernste* Rollen geht, ist eine höhere Übereinstimmung zwischen Lehrangebot und Schülerwelt, Lernprozeß und Wirklichkeit zu erreichen. Ein wenig zugespitzt formuliert: Die auf den restringierten Kode Angewiesenen sprechen meistens nur, wenn sie wirklich etwas zu sagen haben. Sorgt man dafür, daß sie mehr zu sagen haben, dann sprechen sie sicherlich mehr und wahrscheinlich differenzierter als vorher.

## Expertendeutsch

Gegenüber der Sprache unserer Großeltern – oder noch ein wenig vorsichtiger: unserer Urgroßeltern – gibt es einen großen Unterschied: Wir hören und lesen viel mehr Dinge, die wir nicht verstehen. Und man kann ruhig hinzufügen: wir sagen auch viel mehr Dinge, die wir nicht verstehen. Das gilt nicht etwa nur für Schwätzer, die sich immer und überall als Experten, als Fachleute, fühlen – es gilt für uns alle. Wir alle werden viel häufiger mit Expertendeutsch konfrontiert, als wir annehmen – nur registrieren wir dies normalerweise nicht, weil sich in jedem von uns ein Mechanismus des *Abschaltens* entwickelt hat. Er funktioniert im allgemeinen ohne bewußte Kontrolle. Am ehesten ist er noch bei der *Lektüre* zu beobachten: Wir suchen nach einer Erklärung für irgendeinen technischen Vorgang; aber statt einiger simpler Sätze wird uns ein komplizierter Schaltplan präsentiert – wir starren kurze Zeit darauf und legen ihn dann resignierend beiseite. Oder: Wir schlagen die Zeitung auf – »multilaterale und bilaterale Verhandlungen«, »konzertierte Aktion«, »sofortige Konsultationen« – das geht vielleicht noch, aber dann folgt der Wirt-

schaftsteil: »Investitionszulagen und ERP-Kredite in Ballungsräumen«, »internationale Liquidität«, »steigende Tendenz im Optionshandel«. Hier hört das Verständnis auf, und wir reagieren — einigermaßen reflexhaft —, indem wir so lange umblättern, bis wir auf den Lokalteil oder den Sportteil stoßen, wo wir vielleicht selber wieder ein bißchen Experten sind.
Gäbe es diese Möglichkeit des Abschaltens nicht, so bewegten wir uns hilflos in einer verwirrenden, flirrenden und flimmernden Welt, in der sich immer neue, für uns unverständliche Elemente überkreuzen. Diese Elemente sind aber an sich nicht sinnlos, sondern gehören jeweils in einen bestimmten *Sach-* und *Fachbereich,* und sie werden jeweils von anderen *Experten* bewältigt — auch sprachlich bewältigt. In Situationen, in denen wir nicht abschalten können, sind wir diesen Experten und ihrer besonderen Sprache mehr oder weniger ausgeliefert. Dies gilt schon für harmlose Fälle, zum Beispiel für die Erklärung, die uns der Automechaniker gibt, wenn der Wagen schon wieder nicht in Ordnung ist; es gilt aber auch für existentiellere Situationen wie den Besuch beim Arzt oder die Behandlung im Krankenhaus, wo nicht nur die sterile Atmosphäre, sondern auch die unvermeidliche Expertensprache auf den Patienten wie eine Wand wirkt, die selbst sein Vertrauen nur unzulänglich durchdringen kann.
Diese Andeutungen klingen zunächst, als ob die Sprache der Experten eine ausschließlich moderne Erscheinung sei. Tatsächlich aber hat es so etwas »schon immer« gegeben; mit Recht hat man darauf hingewiesen, daß selbst in ganz einfach strukturierten Gesellschaften schon erste Formen der *Arbeitsteilung* — und das heißt meistens auch: der Herrschaft — auftreten: die Herstellung von Waffen etwa ist dann auf einige wenige Leute beschränkt, der Medizinmann hat seine eigenen Kenntnisse und Praktiken und damit seine eigene Sprache — und so fort. Die Sprachwissenschaft ist auf den *Fachwortschatz* schon früh aufmerksam geworden und hat ihn mit einer gewissen Vorliebe in Sammlungen präsentiert. Die *Bergmannssprache* beispielsweise, die sich im späten Mittelalter herausbildete, tritt uns schon im 16. Jahrhundert in ersten Zusammenstellungen entgegen. Die *Seeleute* haben ihren eigenen, für den Außenstehenden nur schwer verständlichen Wortschatz; und auch die *Kaufleute* benötigten zur Benennung vorher unbekannter Gegenstände und Vorgänge neue Wörter. Neben diesen oft zitierten Paradebeispielen entwickelten sich aber auch zahlreiche *Handwerkersprachen;* die *Jäger* und die *Fischer* hatten ihre spezifischen Ausdrücke, und selbstverständlich bildeten auch die *landwirtschaftlichen* Sparten ihren besonderen Wortschatz.
Tatsächlich ist es fast ausschließlich das *Vokabular,* das die

Fachsprachen charakterisiert, und insofern ist es berechtigt, wenn eben dieser Begriff Fachsprache kritisiert wird; die grammatischen Regeln, der Satzbau, alle übrigen Teile der Rede außer den Fachwörtern gehören ja doch zur allgemeinen und allgemeinverständlichen deutschen Sprache. Andererseits ist das Sprechen bei den Arbeitsvorgängen fast ganz beschränkt auf die Spezialausdrücke; zumindest hier also repräsentieren sie Sprache insgesamt. Und weiter dringt bei ausgeprägteren Fachsprachen der besondere Wortschatz auch in Gebiete vor, die nicht unmittelbar mit der Arbeit zusammenhängen. Dies geschieht durch einfache Übertragungen der Wörter auf andere, vergleichbare Dinge und Tätigkeiten, aber auch durch bewußt eingesetzte Metaphern. So kommt es, daß beispielsweise aus den Predigten, die der Pfarrer *Johann Mathesius* Anfang des 17. Jahrhunderts hielt, ein ganzes Wörterbuch der Bergmannssprache zusammengestellt werden konnte. Solche Zusammenhänge geben der – sicherlich problematischen – Bezeichnung *Fachsprache* doch einiges Recht.
Die meisten Fachsprachen sind *regional* geprägt. Die besondere Sprache der Bergarbeiter entstand im mitteldeutschen Gebiet; die Sprache der Seeleute enthält naturgemäß überwiegend niederdeutsche Elemente. Wo mit dem Beruf keine weiträumigere Kommunikation verbunden war, bildeten sich auch engere *lokale* Fachsprachen heraus. Dies gilt vor allem für landwirtschaftliche Berufe und Tätigkeitsfelder: der Wortschatz der Älpler, der Sennen und Hirten, ist zum Beispiel weitgehend an den jeweiligen örtlichen Dialekten orientiert, und ähnliches gilt für einen Teil der Spezialausdrücke des Weinbaus.
Die *sprachliche* Differenzierung erfolgt im Falle der Fachsprachen Hand in Hand mit der *sachlichen* Differenzierung. Friedrich Kluge stellte eine Anzahl vier- und fünfgliedriger Wortgebilde aus der *Seemannssprache* zusammen (*Oberleesegelsspier, Bramleesegelsspier, Leesegelsspierbrasse, Leesegelsspiertalje, Leesegelswasserschot, Großstengenstagsegel, Großbramstagsegel, Großoberleesegel, Großbramleesegel, Großgaffeltoppsegel, Bramstengenwindreepsblock, Leesegelsfallbock, Voroberbramsegelbrassen, Kreuzbramsegelbrassen* usw.), und er resümierte: »alles bekommt den Namen nach der jeweiligen Bestimmung des Gegenstandes«. Auch ein beliebiger Ausschnitt aus der *Jagdsprache* macht deutlich, daß darin Objekte und Vorgänge benannt werden, die für den Jäger besondere Bedeutung haben; es gibt zum Beispiel eine sehr präzise tieranatomische Sprache, die der Jäger sowohl in der notwendigerweise denkbar knappen Verständigung bei der Jagd wie bei der Verwertung seiner Beute benötigt.
Allerdings erschöpfen sich in dieser sachorientierten Differenzierung die möglichen *Funktionen* solcher Sondersprachen nicht.

prassen, schlemmen. 3, 598: Predigt (Christus) wider die Gottlose clerisey, die untreuen Wänste u. unzüchtigen Freßling u. vollen Bauchdiener, die stettigs im Quas u. Sause liegen.

Quergang m. ein Gang, der einen andern (Hauptgang) quert oder kreuzt. 16, 862: Warne ich, ihr wollet euch auff diesem Quergang auch ferner nicht einlassen.

Querschlag m., zwerslag (Frb. Urkdb.), eine unter einem rechten Winkel auf die Längenrichtung einer Lagerstätte getriebene Strecke. 2, 61: Nun müssen wir einen Querschlag durch die Steyrische u. Wellsche Gebirge in Abend treiben. 12, 540: Was ihr vor Ort bedürffet, wenn ihr — auslängen, Querschläge machen, Hornstat brechen wollet.

quicken so viel wie abquicken (s. d.) 9, 398: Queckfilber, welches weich Silber ist, wird vom Gold gequickt oder es verraucht im Feuer.

Quinte f., Quintlein, Quintet u. Quentchen, 1/4 Lot, mhd quîntin u. quintlîn aus mlat. quintinus, ursprünglich wohl der fünfte Teil eines Lotes. 3, 109: Man trifft auch gering Ertz, das nur zu Quinten oder Loth hält. 14, 649 Sprichw.: Ein Quintlein Gold wohl bereit überwiegt einen Zentner Gerechtigkeit. 14, 653: Ein jüdisch Pfund hat seine hundert Quintet gehalten; unsre Pfund haben zwey Marck, das ist zwey u. dreyssig Loth, hundert acht u. zwanzig Quintet. 657: Wir Teutschen heissen es ein Quintet, wiewohl es nur der vierdte Theil eines Lothes ist.

Rabisch m. Kerbholz (s. d.), mhd. rabusch, rawisch, aus dem Slav., böhm. rabuše, serb. rabosh. 10, 417: Wie unser Anschneidhauß, darinnen etwan die Rechnung auff ein Rabisch oder Kerbholtz angeschnitten. Bildlich P. v. B. 887: Denn Gott schneidet alles auff sein Rabisch, welchen er an jenem Tage jedermann fürhalten wird. 16, 873: Unser lieber Gott hat auch sein täglich Register oder Rabisch, darauff u. darein er alle Scherff u. Pitzschirling schneidet u. schreibet.

Radpompe f. Radpumpe dasselbe wie Pompe- oder Stangenkunst 12, 573: Ich will allhie allein der Ehrn-Fridistorffischen Radpompe erwehnen — denn solche Pompe kan ohne grosse Darlag (Aufwand, Kosten) angericht u. erhalten werden.

Radtretter m. Arbeiter in den Salzbergwerken, der das Brunnenrad tritt, durch welches das Wasser gehoben wird. 11, 493: In den andern drey Bornen zeucht man die Sal in grossen Rädern an einer Welle, da tretten ihre zwey die Rädern, darumb heissen die Arbeiter die Radtretter.

rämen mit Genet. des Ziels, worauf achten, wonach trachten, zielen, mhd. raemen tr. etwas als Ziel ins Auge fassen. 12, 570 bildl.: Wer sich will greiffen, ziehen u. heben lassen (wie vom Magnet), der räme der rechten Seiten (trachte nach dem Göttlichen).

rammeln refl. von Gängen, die im Streichen unter einem spitzen Winkel zusammenlaufen u. wo sie sich kreuzen, viel Erz bergen; Übertragung des Ausdrucks rammeln als Bezeichnung für die Begattung der Tiere, besonders des Rindviehes, auf Erzgänge, die sich gatten, vgl. dieses u. begatten sowie den Beleg zu letzter. 3, 122: Das giebet die Erfahrung, daß ein Gang allein, wo sich nicht andre mit ihm schleppen, rammeln oder gatten, selten Ertz führet.

Ramler m. Gerät zum Rammen, Rammeln, zum Einschlagen oder Feststoßen des Steinpflasters oder Lehmbodens. 15, 746: Unser Cobaltwasser ist auch schloßweiß durchsichtig formirt wie ein achteckiger Ramler, damit man Pflaster und Tennen zugleichet.

Ranne f. Rahne, abgespaltenes Stück Holz, Holzstumpf, mhd. ran f., rone, ron m. f. umgefallner Baumstamm; Stock. 15, 765: Wie denn noch hültzerne Trinckgeschirr aus gantzem holtz oder einer gantzen Ranne gedreht — heute zu tage im Brauch seyn.

Ranzion, Rancon (Ausg. v. 1628) m. Lösegeld, aus franz. rançon. 3, 142: Da er (Petrus) den Ranzion u. Lösegeld rühmet, damit uns der Sohn Gottes erkaufft u. ledig gemacht hat.

## Aus dem Wortschatz der Bergarbeiter

Wolfgang Steinitz hat am Beispiel der ostjakischen »Bärensprache« gezeigt, daß dieses Jägervolk für die Körperteile des Bären immer wieder neue Wörter erfand, weil es sich um eine

*Tabusprache* handelte, die der Bär nicht verstehen und nicht lernen sollte. In anderer Richtung führt auch die heutige ›Weidmannssprache‹ über das bloße sachliche Differenzierungsbedürfnis hinaus. Die Jäger versichern sich mit dem Gebrauch des besonderen Wortschatzes ihrer Zusammengehörigkeit; sie demonstrieren — untereinander und nach außen — ihre Exper-

Riemer eingebunden. „Die Hornfessel mit gehöriger Schnalle und Beschlag, doch dem Stande gemäß, von silbernen Tressen und Korduanleder mit stählernem Beschlag gemacht und angefesselt, worauf sich ein Hornsatz von Box- oder Hammelhaaren gehört, nebst einer grünen Schleife, Band."

**Hornung,** der, der Februar, als der Monat in dem die starken Hirsche abwerfen. → Horner, → Gehörn. „Hornung haisz ich, erkenn mich, gest du nackent, es gerewt dich". *Schm.*

**horotumblum,** Rohrdommel (aus *Scheffel: ‚Ekkehard'*). → Antvogel.

**Horst,** der, Nest des Raubvogels.

**horsten,** vom Raubvogel: nisten.

**Horstvögel,** die, diejenigen Vögel, die in einem Jagdgebiet regelmäßig horsten.

**Hort,** der, Hirsch. „ze glicher weis, als der bey hochen steden oder in großen welden oder bey hochem gebirg schreit der hort ainen gleichen widerhal seiner Stimme" (sonst Hort = Schatz). *Schm.*

**Hortikel,** die, große Rohrdommel. *Herm.*

**Hosen,** die, die Schenkel der Tagraubvögel.

**Hosenflicker,** der, das hauende Schwein (scherzweise).

**Hosengams,** der, Deputatgams des Berufsjägers, so genannt, da letzterer sich daraus seine lederne Hose machen läßt.

**Hosenträger,** der, ein einfaches Band von weichem Leder mit zwei kleinen Ausschnitten, womit dem Lockvogel die Flügel bis unter die Achseln gesteckt werden. Unten auf dem Bauch wird dieses Band zusammengenäht und eine Schnur daran befestigt.

**hubern, hübern,** → hudern (2) (huillern, hullern).

**hudern,** 1) vom Auerhahn und anderen Hühnervögeln: im Staube baden (offenbar zur Vertreibung der Parasiten); 2) von einer Henne: die Jungen *h.*, ihre Jungen unter die Flügel nehmen.

**Hu-Eul,** die, Nachteule, Uhu [ahd.: huuuo, huo, die hiuuuelun; mhd.: der huwe, diu huwele, hiuwele]. „Von dem hauwen oder aufen"; haw, hauwe, uwe = das Hügerl; hufi. ewfel; schwed.: Uf; ahd.: iuwila, uwila, ula = Eule [mhd.: iuwel, iule]. *Schm.* → Jule; norweg.: ugle = Eule.

**hufbein,** das, Keule, Hinterschenkel des Hirsches. *Gottfr.*

**Hüfthorn,** das, Jagdhorn (1000 Jahre alt). *Rö.*

**Hügerl,** das, → Hu-Eul.

**Hui,** geschwind, schnell. (Hui Sau! Jägerw.)

**Huifedern,** die, Gebirgsausdruck für die Stoßfedern eines starken Birkhahnes.

**huillern,** → hudern.

**hulen** (norweg. ull; hyle = heulen, von der Ringel- und Turteltaube: girren.

**hullern,** → hudern.

**Hund-As-Habern,** der, Hundefraß, als Forstabgabe. Den Habern zu Huntasz derren [ahd.,

Aus einem Wörterbuch der Jagdsprache

tenqualität. Die Fachsprache, so könnte man sagen, ist hier also auch *Gruppensprache*, sie ist die Folge und zugleich die Ursache einer gewissen Absonderung und Abschließung; und diese Funktion kam und kommt sicherlich den meisten Fachsprachen zu.

Gerade diese relative Abgeschlossenheit hat es vermutlich ermöglicht, daß bestimmte Wörter von einer Fachsprache auf die andere übertragen wurden. Es schadete nichts, daß *Stollen* für den Bergmann etwas anderes bedeutete als für den Bäcker oder den Schuster; Verwechslungen waren hier ebenso unwahrscheinlich wie beim Wort *Zeche*, das auch die Wirte kennen, oder beim Wort *Querschläger*, das für den Soldaten etwas völlig anderes besagt als im Bergbau. Die Abschließung war freilich keineswegs vollständig; vielmehr ging von den wichtigeren Fachsprachen ein starker *Einfluß auf die Gemeinsprache*, also die allgemein verwendete Sprache, aus. An jeder Sprachgeschichte ist dies abzulesen. Sieht man von den im ganzen recht geringen lautlichen und syntaktischen Veränderungen im Lauf der Jahrhunderte ab, dann werden die Etappen der Sprachgeschichte wesentlich bestimmt durch das Eindringen von ursprünglichen Fachwörtern in das allgemeine Deutsch. Das beginnt mit der Übertragung römischer Begriffe anhand bestimmter handwerklicher Fertigkeiten und mit der Vermittlung ursprünglich theologischer Wörter. Es setzt sich fort mit dem Einfluß anderer Wissenschaften und auch der erwähnten Berufsgruppen (Wörter wie *Ausbeute, Fundgrube, bestechen, Stichprobe, zutage fördern, reichhaltig, Anreicherung, verwittern, Raubbau* stammen aus der Sprache der Bergleute). Und es reicht bis in die Gegenwart herein mit ihren zahlreichen Begriffsübertragungen aus verschiedenen Bereichen der Technik (man denke an Ausdrücke aus der Sprache des Kraftfahrers: *auf vollen Touren, Gas geben, schalten, ankurbeln* usf.).

Eine gewisse Mittel- und Mittlerstellung nehmen bei diesen Übertragungsprozessen Sondersprachen ein, die man gelegentlich als »*Standessprachen*« bezeichnet: die Sprache der *Soldaten* etwa oder auch die *Studenten-* und *Schülersprache.* Diese ›Sprachen‹ sind zum kleineren Teil ebenfalls Fachsprachen – die Soldatensprache etwa insoweit, als sich ihr Wortschatz auf den Umgang mit Waffen und andere Gegenstände militärischer Ausbildung bezieht. Da sich jedoch in diesem Bereich – in gesteigertem Maße im Krieg – der ganze Lebenszuschnitt von dem der übrigen Gesellschaft unterscheidet, entstehen für Gegenstände und Vorgänge, die nicht unmittelbar mit dem ›Beruf‹ zu tun haben, ebenfalls sprachliche Neubildungen, oder die Fachwörter werden darauf übertragen. Das Wort *Blindgänger* kam vermutlich im Ersten Weltkrieg auf für eine unwirksame Granate. Schon im engeren Umkreis der Soldatensprache wurde es übertragen auf unbeliebte Vorgesetzte, auf die Garnisonssoldaten der Etappe, auf »Versager« aller Art. Von hier aus lag die weitere Übertragung auf alle möglichen Erscheinungen des Versagens nahe – im sexuellen Bereich, auf dem Gebiet des Sports etc., und in solchem Gebrauch ist das Wort keinesfalls mehr fachsprachlich, sondern allgemein umgangssprachlich.

In allen Phasen der Sprachgeschichte bildete also die Fachsprache ein dynamisches Element. Aber es ist, blicken wir auf die gewissermaßen klassischen Fachsprachen zurück, eine sehr gemäßigte Dynamik. Jägersprache, Seemannssprache, Bergmannssprache – all das präsentiert sich mit einer gewissen Behaglichkeit; durch Jahrhunderte hindurch sind die Fachausdrücke gleichgeblieben, wie auch die einzelnen Verrichtungen gleichgeblieben sind. Dasselbe gilt vom Handwerk und von den Handwerkssprachen; auch an ihnen haftet etwas von zünftiger Romantik. Mit dem Expertendeutsch in der *heutigen* Gesellschaft verhält es sich anders. Es empfiehlt sich, hinter das im Eingang dieses Kapitels behauptete »schon immer« ein kräftiges Fragezeichen zu setzen und die Veränderungen, das strukturell Neue in den jetzigen Expertensprachen herauszustellen.

Während sich die früheren Fachsprachen mindestens im Rückblick als verhältnismäßig enge, selbständige, sich nicht überschneidende Ausdifferenzierungen aus der Gemeinsprache darstellen, kann man von der jetzigen Sprache Deutsch behaupten, daß sie sehr viel weitergehend in Teilsprachen »zerfällt«, und man muß dieses Bild dann sofort wieder korrigieren und differenzieren, indem man feststellt, daß die einzelnen Teile keineswegs selbständig und abgetrennt voneinander existieren, sondern in komplizierten Abhängigkeits- und Beeinflussungsverhältnissen stehen. Charakteristisch für das sehr viel intensivere Ineinander ist die Durchdringung von Wissenschaft, Technik, Produktion und Gesellschaft. Während die *wissenschaftliche* Fachsprache früher *neben* den Fachsprachen der verschiedenen Handwerke und anderer produzierender Berufe stand, greift sie heute sowohl auf die industrielle Produktion wie auf die gesellschaftlichen Institutionen sehr viel stärker über. In der Sprache der modernen Technik wirkt sich dies in drei eng zusammengehörigen Erscheinungen aus: Normierung, Künstlichkeit und Genauigkeit.

Die hastige technische Entwicklung führte vielfach zunächst zu einem »verwirrenden Durcheinander der Bezeichnungen«, das nachträglich mühsam korrigiert werden mußte. So gab es, um ein vielleicht kurios klingendes Beispiel aus *Leo Weisgerbers* Studien zu Sprache und Technik zu übernehmen, einen »deutschen Lokomotiv-Normen-Ausschuß«. Er stellte fest, daß für 14 Teile einer Stopfbüchse nicht weniger als 151 Benennungen

in Umlauf waren – und es liegt auf der Hand, daß dies Unklarheiten und Schwierigkeiten mit sich brachte. Die Tendenz zur *Normung* setzte sich durch, und zwar zur sprachlichen ebenso wie zur sachlichen Normung: einheitliche Formen, Maße, technische Anordnungen wurden ebenso wie einheitliche Benennungen zunehmend schon im Stadium der Herstellung angestrebt. Dies konnte aber vielfach nur erreicht werden durch Ausgriffe über das ›natürliche‹ Sprachangebot hinaus. Früher war die Frage der Benennung neuer Sachen vor allem durch Übertragung aus einem anderen Bereich gelöst worden; angesichts der weitgehenden Trennung dieser Bereiche bestand keine Verwechslungsgefahr. Grundsätzlich ist dieser Weg auch jetzt noch nicht ausgeschlossen; die Bezeichnung der elektrischen *Birne* macht im allgemeinen keine Verständnisschwierigkeiten. Wenn aber mit *Anker* ein Schiffsgerät, eine Befestigungsschraube und ein Teil elektrischer Maschinen bezeichnet wird, ist dies angesichts des häufigen Zusammenhangs technischer Einrichtungen schon problematisch, und vollends untragbar wird die Verwendung eines einzigen Wortes, wenn beispielsweise das Bedürfnis der Unterscheidung zwischen verschiedenartigen Befestigungsschrauben besteht. In vielen Fällen helfen erklärende Zusatzsilben und -wörter weiter, aber oft muß auch ein *Kunstwort* erfunden werden, wenn die nötige Differenzierung erreicht werden soll. Dabei geht es ebenso wie bei der Normierung um möglichste Genauigkeit; viele der Benennungen nähern sich in ihrer Gebrauchsfunktion mathematischen Formeln, die zeichenhaft eine ganz bestimmte Sache und nur diese Sache vertreten.
Vor einer Überschätzung der *Genauigkeit* moderner Fachbegriffe haben allerdings Hans Ischreyt und Dieter Möhn mit Recht gewarnt. Die Präzision wird in doppelter Weise eingeschränkt. Einmal unterliegen selbst in den sogenannten exakten Wissenschaften die Gegenstände selbst, die Vorstellungen über die Gegenstände und die Vorgänge mit den Gegenständen der Veränderung – und die Fachbegriffe müssen solche Veränderungen erlauben und sich daran anpassen. Dies wird deutlich an einem Begriff wie *Atom*, der nur dem präzise scheint, der keine genaue Vorstellung hat von der damit verbundenen Problematik. In Wirklichkeit beziehen auch derartig ›exakte‹ Begriffe ihre Genauigkeit aus der jeweiligen Situation, aus ihrem Kontext. Zum andern spielen solche Begriffe in verschiedenen Bereichen der Kommunikation auch eine verschiedene Rolle – und das heißt vielfach: sie haben jeweils eine andere Bedeutung. Die geballten, ebenso sprechenden wie ›falschen‹ Zusammensetzungen *Atomkrieg*, *Atomtod* usf. machen dies deutlich.
Hans Ischreyt hat – ohne dies im einzelnen zu untersuchen –

eine *Stufung* der Fachsprache vorgeschlagen: er unterscheidet eine *wissenschaftliche Sprache* von der *Werkstattsprache* und der *Verkäufersprache*. Die Unterschiede kann man sich leicht ausmalen. Die begründende Arbeit der Forschung muß streng definieren; sie beachtet die sachlichen Zusammenhänge, die für ein Produkt maßgebend sind. In der Produktionssphäre selbst können und müssen diese Zusammenhänge oft vernachlässigt werden; nur noch die jeweils gegenwärtigen Phasen und Teile der Produktion werden auch sprachlich bezeichnet. Die Sprache ist stark restringiert, sie wird aus der sachlichen Situation ergänzt und vielfach – etwa im Lärm der Maschinen – fast völlig durch Gesten, Lichtsignale und andere Zeichen ersetzt. In der Wirkungssphäre, zu welcher der Verkauf hinüberleitet, tritt das spezifisch Fachliche und Fachbegriffliche häufig zurück. Der Verkäufer operiert mit Anmutungen an Vertrautes und übersetzt in ein anderes, allgemeineres Medium der Kommunikation, was vorher in einen sehr speziellen Horizont gehörte – dieses Spezielle geht oft nur noch in das Etikett, die Warenbezeichnung ein.

Es versteht sich aber, daß diese Kommunikationsbereiche in verschiedenen Produktionssparten sehr verschieden aussehen und daß sie oft auch nur schwer zu trennen sind. Ganz allgemein scheint es charakteristisch zu sein für die moderne Entwicklung, daß die Arbeitsteilung immer noch weiter fortschreitet und daß in immer kleineren Spezialgebieten eine immer kleinere Zahl von Experten zuständig ist, daß aber gleichwohl jedermann zu jeder Zeit in das Hoheitsgebiet irgendwelcher Experten hineingeraten kann und oft genug hineingeraten muß. Ich greife noch einmal das Beispiel der *Medizin* auf, um das zu verdeutlichen. Medizin ist nicht nur ein spezielles wissenschaftliches Fach mit eigenem Wortschatz; sie setzt sich vielmehr ihrerseits aus Spezialdisziplinen mit wenigstens teilweise eigener Terminologie zusammen. Die Spezialisierung geht so weit, daß keinesfalls jeder Arzt die Diagnose und die therapeutischen Vorschläge anderer Ärzte wirklich zu beurteilen vermag. Zu dieser – horizontalen – Sparteneinteilung kommt die mindestens teilweise unvermeidliche – vertikale – Hierarchie in der ärztlichen Praxis. Es ist zwar unverständlich, daß Krankenschwestern und vor allem das Hilfspersonal in den Kliniken manchmal so gut wie gar nicht über die Diagnosen informiert sind; aber es ist verständlich, daß sie es nicht in der gleichen Differenziertheit sein können wie die Ärzte. Und es ist vollends klar, daß die Patienten noch weniger erfahren und verstehen. Zwar werden ihnen von den Ärzten oft sehr eingehende Erklärungen gegeben; aber diese Erklärungen müssen gerade deshalb ungenau und unvollkommen bleiben, weil darin die – oft entscheidenden – Fachausdrücke vermieden werden müssen.

Bei solchen Erklärungen wird deutlich, wieviel an *Einsparung* und *Entlastung* die Fachbegriffe leisten.
Es ist aber nun keineswegs so, daß die sprachliche Fachwelt für die betroffenen Patienten völlig verschlossen bleibt. Sie schnappen einzelne Erklärungen auf, lesen die lateinischen Namen von den Krankenberichten ab und ziehen daheim das Lexikon zu Rate; sie studieren die Zusammensetzung ihrer Arzneien und präsentieren den staunenden Ärzten auswendig die Liste all der chemischen Substanzen, die sie schon vergeblich geschluckt haben; und sie tauschen in den Wartezimmern untereinander Symptome aus, so daß die Ärzte nachher nicht immer auf hilflose Stummheit, sondern oft auch auf ein ebenso hilfloses beredtes Angebot an Krankheiten stoßen. Der Vorgang, daß ausgesprochene Fachausdrücke der Medizin oder Pharmazie völlig in den allgemeinen Sprachgebrauch übergehen, ist verhältnismäßig selten — in aufregender und schneller Weise geschah dies beispielsweise bei Contergan. In den erwähnten Fällen dagegen zeigt sich zwar, daß der Spezialbereich der Medizin mit seinem besonderen Fachwortschatz nicht hermetisch abgeschlossen ist, es kann aber keine Rede davon sein, daß die Fachbegriffe gemeinsprachlich geworden wären.
Trotzdem ist die Feststellung berechtigt, daß das allgemeine Deutsch heute stärker als früher *von Fachsprachen beeinflußt* ist. Dies gilt insbesondere, wenn man nicht nur einseitig die Fachbegriffe in Betracht zieht, die sich im Umkreis der technischen Produktionsstätten herausgebildet haben und herausbilden, sondern auch die Sprache der Dienstleistungsgewerbe und insbesondere der *Verwaltung* einbezieht. Zwar hat Hildegard Wagner statistisch nachgewiesen, daß in der Verwaltungssprache kurze Sätze dominieren und daß über die Hälfte aller von ihr untersuchten Sätze einfache Hauptsätze waren — die Behördensprache ist demnach besser als ihr Ruf. Aber dieser schlechte Ruf kommt doch nicht von ungefähr. Häufiger als anderswo bilden sich hier die Wortungetüme heraus, denen Mark Twain die Bezeichnung »alphabetische Prozessionen« gab: *Lastenausgleichsvermögensabgabe, Körperschaftssteuerdurchführungsverordnung, Kraftfahrzeughaftpflichtversicherung.* Und diese geballten Begriffe sind nicht etwa vereinzelte auffallende Erscheinungen inmitten einer durchsichtig klaren Sprachlandschaft, sondern die Amtssprache ist insgesamt kompliziert und schwer verständlich. An der Amtssprache wird besonders deutlich, was ganz allgemein für die moderne Entwicklung gilt: es ist jetzt sehr viel berechtigter, von Experten*sprachen* zu reden, denn die Besonderheit beschränkt sich nicht mehr auf den Wortschatz. Dieser schiebt vielmehr auch bestimmte Satzkonstruktionen in den Vordergrund; so gehört zur modernen Fachsprache meist eine substantivische Ausdrucksweise, die durch soge-

nannte Funktionsverben ermöglicht wird – ein Objekt wird also nicht beschallt, sondern es *erfolgt* die Beschallung eines Objekts, und die Haushalte werden nicht gezählt, sondern eine Haushaltszählung wird *durchgeführt*. Dieses Merkmal beschränkt sich zwar nicht auf Fachsprachen und Verwaltungssprache; aber dort ist doch wohl eine wesentliche Einbruchstelle in die allgemeine Gebrauchssprache.
Die Kompliziertheit der Amtssprache entstammt paradoxerweise zum Teil dem Bemühen, die Dinge möglichst unmißverständlich und genau zu sagen; zum Teil verbirgt sich hinter dem Bürokratendeutsch freilich auch Behördensturheit, die sich nicht in die Karten schauen lassen will. In der gleichen Doppelperspektive wird man auch die *juristische* Fachsprache sehen müssen, die so stark auf das Verwaltungsdeutsch eingewirkt hat, vor allem die Sprache der Gesetzestexte: auch ihre Kompliziertheit ist zum Teil eine Folge des Versuchs, im Gegensatz zur Alltagssprache alles unzweideutig zu formulieren; aber ganz aus der Luft gegriffen ist auch der Vorwurf nicht, daß die Sprache der Juristen die Rechtsprechung im Namen des Volkes gegen das Volk abschirmt.
Was man als »*Fachidiotie*« bezeichnet, hat eine wichtige sprachliche Seite. Die Fachsprachen – vielleicht könnte man, erweiternd und allgemeiner, auch von »Subsprachen« reden – sind notwendig für die und durch die arbeitsteilige Differenzierung unserer Gesellschaft. Nicht zuletzt durch ihre besondere Sprache setzen sich die Experten von den anderen, den jeweils Nicht-Eingeweihten, ab. In der Expertensprache liegt ihre Macht; sie sitzen an Schalthebeln, die nur sie bedienen können, in dieser Sprache und dank dieser Sprache können sie über andere verfügen. Gleichzeitig aber liegt darin ihre Ohnmacht. Je ausschließlicher sie sich der Expertensprache verschreiben, um so weiter entfernen sie sich von der allgemeinen Sprache, von der für alle möglichen und für alle verbindlichen Kommunikation. Sie vertrauen darauf, daß die Gesellschaft ihnen schon den richtigen Platz zugewiesen hat; das aber heißt: sie überlassen auch die Gesellschaft – anderen – Experten.

## Reportagen – ein Kapitel Sportsprache

*An sich hatte die Regierungspartei bei der gestrigen Marathonsitzung einen guten Start und nützte den vorhandenen Spielraum; sogar einige Mitläufer aus den Reihen der Opposition, welche die Auseinandersetzung wohl als Sprungbrett in das künftige Kabinett betrachteten, leisteten Schrittmacherdienste. Sie erwiesen sich aber dann doch als Außenseiter, die durch die folgenden Argumentationen schnell überrundet wurden. Es ging nicht ganz ohne Tiefschläge ab; aber alles in allem wurde das Tauziehen um die weitere Laufbahn des Ministers fair zu Ende geführt.*

Zugegeben: dieser Text ist erfunden, konstruiert. Aber ich möchte annehmen, er liest sich nicht ungewöhnlich – und höchstens die Häufung macht auf die sprachliche Besonderheit des Textes aufmerksam. Normalerweise denken wir bei den üblichen Zusammensetzungen mit *Marathon-* weder an das griechische Modell noch an die olympischen Wettkämpfe. Wörter wie *Start, Spielraum, Mitläufer, Sprungbrett, Schrittmacherdienste* tauchen keineswegs nur in Sportreportagen auf. *Tiefschläge* gibt es – nicht nur der Sache, sondern auch der Sprache nach – in der politischen *Arena* wohl häufiger als im Boxring. *Tauziehen* ist eine recht selten gewordene, etwas altväterische Sportart; aber der übertragene Begriff sitzt fest. Und bei einem Wörtchen wie *fair* schließlich muß sich auch der einigermaßen Sprachbewanderte erst vergewissern, ob es tatsächlich über den Sport zu uns gekommen ist; er kann aber dann noch in einem Lexikon von 1889 finden, es gehöre in den Bereich des *Turf*, also des Pferdesports, wo es sowohl ein angemessen flaches Gelände bezeichne wie eine Handlung, die ehrenhaft, »gentlemanlike« sei.

Auf Schritt und Tritt begegnen wir im allgemeinen Deutsch Vokabeln und Wendungen, die aus dem Gebiet des *Sports* übertragen wurden. Man hat den nicht gerade schönen, aber einigermaßen treffenden Ausdruck von der »Versportung« unserer Sprache verwendet, und tatsächlich handelt es sich dabei um das vielleicht eindruckvollste Beispiel für den Einfluß der Fachsprache auf unser modernes Deutsch. Gleichzeitig aber wird an diesem Beispiel noch einmal die Problematik des Begriffs Fachsprache deutlich – oder positiv gesagt: die Differenzierung fachlich gebundener Sprache in verschiedene Stufen und Bereiche der Kommunikation.

Wenn von *Sportsprache* die Rede ist – was ist das eigentlich? Die meisten wissenschaftlichen Untersuchungen, die sich der Sportsprache zugewandt haben, verstehen darunter in erster Linie den *Fachwortschatz* im engeren Sinne. Im Falle der *Turnsprache* läßt sich zeigen, daß der »Turnvater« *Friedrich Ludwig Jahn* sehr bewußt auf älteren deutschen Bezeichnungen für gymnastische Übungen aufbaute und diese Bezeichnungen vielfach ebenso wie die Übungen selbst lediglich normierte. Für eine Reihe von Übungen und Geräten schuf er neue Wörter, aber auch hier nach deutschen Mustern. Gerade beim zentralen Begriff *Turnen* hatte er allerdings Pech: Jahn hielt den Wortstamm *turn-* für einen »deutschen Urlaut«, während er in Wirklichkeit mit dem ursprünglich französischen Wort

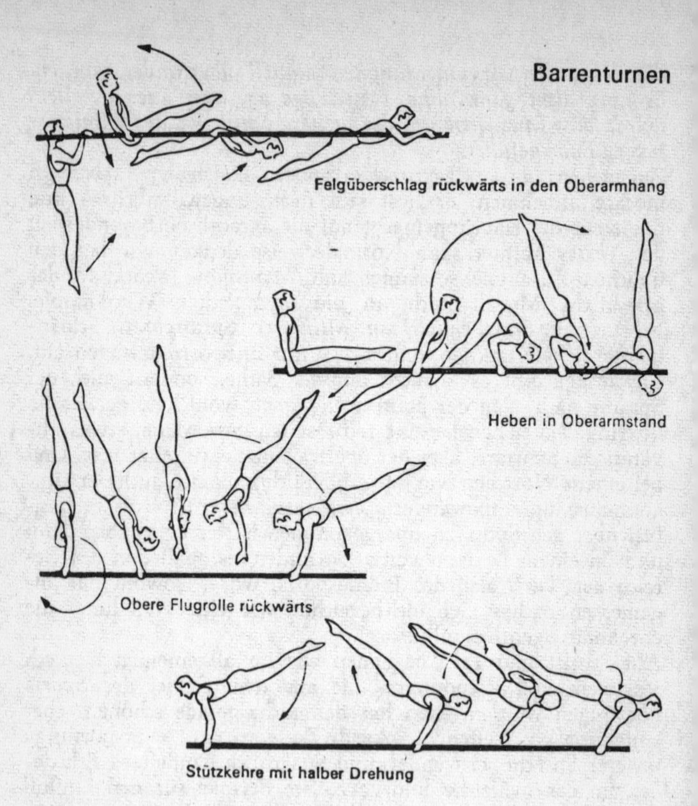




*Turnier* zusammenhängt – so daß also selbst Jahn, unfreiwillig allerdings, dazu beitrug, die Internationalität des Sports zu betonen. Auf anderen Gebieten des Sports wird dieser *internationale Zusammenhang* sehr viel deutlicher. Verfolgt man hier die Herkunft, so stößt man in der überwiegenden Zahl der Fälle auf *englischen* Ursprung: in England hat sich, im Zuge der Industrialisierung, der moderne Sport herausgebildet, und mit der Sache kamen meistens auch die sprachlichen Bezeichnungen nach Deutschland. In einzelnen Sportarten ist dies geblieben – sei es, weil sie sich weniger eingebürgert haben, oder sei es, weil sie sehr stark international ausgerichtet sind; für *boxen, kontern, Clinch, k. o. (knockout)* gibt es keine zureichenden deutschen Übertragungen. In anderen Sparten hat sich das Bild verschoben: noch bis um 1910 sagte man *football* und nicht ›Fußball‹, und noch vor einer Generation waren Ausdrücke

wie *centerhalf* für den ›Halbstürmer‹, *out* für ›aus‹, *corner* für ›Eckball‹, *goal* für ›Tor‹ nicht ungewöhnlich.
Auch der Torwart wurde zunächst mit dem englischen Begriff *goal-keeper* oder kürzer *keeper* bezeichnet. Diese Bezeichnung hat sich in dem Wort *Kipper* erhalten, das noch immer zur lebendigen Sportsprache gehört — freilich nicht zur eigentlichen Fachsprache. Wenn offiziell die Mannschaftsaufstellung genannt wird, taucht das Wort nicht auf. Aber es kommt vor, daß Jungen sich streiten, wer Kipper spielt, daß sachkundige Zuschauer nach einem verlorenen Spiel meinen, einen anderen Kipper sollte man haben, vereinzelt auch, daß Feldspieler einander »Kipper!« zurufen, wenn der Ball an den Torwart zurückgegeben werden soll. Hier sind wir in einem anderen Bereich, auf einer anderen Kommunikationsstufe der Sportsprache, die man als *Fachjargon* oder auch als *Sportlersprache* bezeichnet hat. Dazu kommt als eine weitere Stufe die Sprache in der öffentlichen Sportkommunikation, die *Harald Dankert* genauer unter die Lupe genommen hat und die auch hier im Mittelpunkt stehen soll; man könnte sie *Reportsprache* nennen.
Fast jede sportliche Veranstaltung gibt die Möglichkeit, Unterschiede zwischen den drei Bereichen festzustellen; sehr schnell wird allerdings auch deutlich, daß die Einteilung in Stufen eine Konstruktion ist und in Wirklichkeit die Übergänge fließend, die Zuordnungen schwierig sind. Auf dem Tennisplatz herrscht gespannte Stille, nur manchmal unterbrochen durch das Zählen des Schiedsrichters: *40:30; Einstand; Vorteil Aufschläger* — bei größeren Wettkämpfen wird der englische Begriff vorangestellt: *Advantage — Vorteil.* Das sind Bestandteile der Fachsprache. Dann kommt ein knapper Zuruf an einen der Spieler: *Schmettern!* oder *Jagen!* Setzt man Fachsprache strikt mit Regelsprache gleich, so gehören diese Vokabeln nicht mehr dazu; aber der Ausdruck *schmettern* für den wuchtigen Schlag des Balles von oben ist eine so wichtige Definition, daß man sie wohl irgendwo zwischen Fachsprache und Fachjargon ansiedeln sollte. Der andere Ausdruck dagegen gehört eher in den Bereich von Fachjargon und Reportsprache; hier kann er etwa in der Form auftauchen, daß gesagt oder geschrieben wird: *In diesem Spiel jagte er seinen Gegner bis zum schließlichen Matchball von einer Ecke in die andere.*
Oder ein anderes Beispiel: Fußball. Der Schiedsrichter pfeift ein *Abseits* — dieser Begriff ist Bestandteil der Fußballregeln; er gehört aber selbstverständlich, wie die meisten im engeren Sinne fachsprachlichen Begriffe, auch zum Vokabular der Sportler und der Reporter. Wörter wie *Flanke* oder *Vorlage* sind mit keiner speziellen Fußballregel verknüpft, sind aber für die Verständigung der Spieler oder Zuschauer ebenso notwendige Be-

stimmungen wie für den Bericht über ein Spiel. Ein Zuruf wie *Absatz!* von einem Spieler an den anderen – es ist die Aufforderung zur Rückgabe des Balls – entfernt sich dagegen deutlich von der Fachsprache, und er ist für die öffentliche Kommunikation eine Nuance zu salopp oder auch intim, der Reporter müßte hier mit Verständnisschwierigkeiten rechnen.

Im ganzen allerdings spielen in der *Reportsprache* des Sports Verständnisrücksichten keine allzu große Rolle. Die Berichterstatter rechnen mit einem fachkundigen Publikum, und sie *dürfen* offenbar auch damit rechnen: Sport ist der Bereich, in dem es heute wahrscheinlich die meisten Sachverständigen überhaupt gibt, und ganz sicher trägt dieses Expertengefühl wesentlich zur Beliebtheit des Sports bei. Allerdings steckt in dieser Feststellung, steckt schon in der Verallgemeinerung ›Sport‹ eine erhebliche Unschärfe. Der Sport, dessen Faszination man häufig damit erklärt hat, daß er in unserer spezialisierten Welt etwas Ganzheitliches vermittle und einen Ausgleich gewähre – dieser Sport teilt sich ja bei näherem Zusehen seinerseits in hochspezialisierte Einzelsparten auf; die Hochleistungssportler *einer* Disziplin treiben bezeichnenderweise – Christian Graf von Krockow hat darauf aufmerksam gemacht – Ausgleichssport in der *anderen*. Diese Spartenteilung drückt sich auch sprachlich aus. Zwar gibt es einige allgemeine Wettkampf- und Leistungswörter – z. B. *ringen* oder *aufdrehen* –, die fast überall Verwendung finden; aber zum größten Teil ist der Wortschatz der Einzeldisziplinen doch sehr speziell, und auch sportbegeisterte Hörer oder Leser stehen oft einem Teil der Sportreportagen verständnislos gegenüber.

Was die Reportsprache anlangt, so ist eine weitere Unterscheidung von noch größerer Wichtigkeit: die nach technischen *Medien*, nach der Art der Vermittlung. Die älteste Form ist der *Zeitungsbericht*, in dem aus ruhiger und gemessener Distanz die wichtigsten Phasen und Entscheidungen eines sportlichen Ereignisses festgehalten wurden. Auch die *Rundfunkberichte* waren anfänglich so angelegt. Zur ersten »Sportübertragung« kam es nach einer Aufzeichnung im Rundfunkjahrbuch im Jahr 1925. Die Rundfunkmusiker waren an einem heißen Julitag mit ihrem Mikrophon ins Freie gezogen und hatten festgestellt, daß dies der Qualität der Wiedergabe eher zugute kam. Das brachte einen Runkfunkjournalisten auf die Idee, auch einmal von einem sportlichen Ereignis im Freien, einer Ruderregatta, direkt zu berichten. Es wird allerdings erzählt, daß er sich mit einem langen Zettel in der üblichen Weise vorbereitet hatte, daß ihm dieser aber in der Aufregung wegflatterte: da erst gab er eine unmittelbare Schilderung des Ruderrennens durchs Mikrophon, und am Ende bat er die Sieger sogar noch zu einem kurzen Interview. Bei den ersten *Fernseh-*

*übertragungen* wirkte das stilistische Trägheitsgesetz ähnlich: die Berichterstatter, fast alles versierte Rundfunkreporter, gaben zunächst ziemlich wortreiche Schilderungen der Vorgänge, die von den Zuschauern doch ohnehin am Bild verfolgt werden konnten — dann erst setzte sich der mediengerechte Stil sparsamen Kommentierens durch.
Die Einführung der *neuen* Medien aber hatte Rückwirkungen auf die *alten*. Nachdem das Fernsehen die wichtigsten Szenen von den Sportplätzen in vollem Umfang und von der Kamera noch eigens dramatisiert in die Wohnzimmer brachte, mußten die Rundfunkberichter ihrerseits noch stärker als früher versuchen, mit ihrer Sprache den Ablauf zu verlebendigen; das Wort von der »wirklichkeitsschaffenden Sprache« des Reporters hatte drängenden Appellcharakter bekommen. Die Pressejournalisten aber mußten mehr und mehr davon ausgehen, daß ein Großteil der Sportanhänger die interessantesten Ereignisse schon kannte, und zwar in vielen Fällen aus eigener Fernsehanschauung relativ gut kannte. Die Folge war eine doppelte, gegenläufige Tendenz: Auf der einen Seite kultivierten die Presseberichterstatter sachliche Genauigkeit; die entscheidenden Phasen werden zeitlich präzise festgelegt, ausführlicher als in Funk und Fernsehen werden alle, auch die nur am Rande Beteiligten angeführt, und alle Ergebnisse werden in einen quasi-statistischen Zusammenhang gebracht — Tabellenstand, Torschützenkönige, Entwicklung der Rekorde und so fort. Auf der anderen Seite aber wird die Darstellung mit Hilfe der Auswahl, mit Hilfe des äußeren Arrangements (Überschriften, Fettdruck), aber vor allem auch durch sprachliche Mittel womöglich noch stärker dramatisiert als in den anderen Medien.
Beim wohl spannendsten, vorentscheidenden Spiel der Fußballweltmeisterschaft 1970, Deutschland–Italien, lautete ein Ausschnitt aus der *Fernsehreportage* folgendermaßen:

»Gespielt sind 7 Minuten; es regnet in Strömen hier im Stadion. 7 Minuten gespielt, Italien–Deutschland 0:0. — Boninsegna, mit der Nummer 20; — Boninsegna — und Tor! — — — Dies ist genau die 7. Spielminute. Und hier haben wir die Wiederholung: Boninsegna — ein Schuß von etwa 20 Meter Entfernung, genau plaziert.«

Im *Funkbericht* wird das erste Tor der Italiener folgendermaßen geschildert:

»Wieder ins Aus und Einwurf der italienischen Mannschaft. Deutschland muß mit dem neuen Konzept gegen Italien erst einmal fertig werden. Burgnich hat eingeworfen, zu deSisti gespielt und zu deSisti in die Spitze, zu Boninsegna, der sich jetzt genau auf den Mittelpunkt absetzt und 20 Meter vom deutschen Tor steht, will nach innen passen — Flanke für nun–nein schießt! und Tor!! — — — Oh, das war ein schwerer Abwehrfehler der deutschen Mannschaft: niemand griff Boninsegna an, niemand griff ihn an, man ließ ihn frei schießen, aus gut 20 Metern; aber mir schien, als ob hier auch Torwart Maier noch nicht ganz im Bilde gewesen sei – Schuß von 20 Metern – er fiel viel zu spät, der Ball war schon im Netz, als er unten lag. 1:0 also für Italien nach 8 Spielminuten, Torschütze Boninsegna. Jetzt müssen die deutschen Spieler natürlich wieder aufdrehen, müssen wieder hinter einem Tor herlaufen.«

Der Fernsehkommentar beschränkt sich, sieht man von der Zeitangabe und dem Hinweis aufs Wetter ab, fast vollständig auf die Nennung des Torschützen, selbst die Information über die Entfernung vom Tor wird erst nachgeliefert bei der schnell eingeschobenen Wiederholung. Der unmittelbare Hinweis lautet praktisch nur: *Boninsegna – und Tor!* Dafür stehen im Rundfunkbericht, sieht man wiederum von allgemeineren Einschüben und auch von Wiederholungen ab, nicht weniger als 44 Wörter, in denen die schnellen Spielzüge schnell charakterisiert werden. Der Runkfunkberichter muß ständig damit rechnen, daß etwas Wichtiges geschieht, die Wirklichkeit der vorbereitenden Kombinationen muß für den Hörer schon präsent sein, wenn es zum Torschuß kommt. Der Fernsehkommentator kann dies dem Zuschauer überlassen, und die technische Möglichkeit der Wiederholung gewährt ihm eine zusätzliche Entlastung. Solange diese Wiederholung im Fernsehen läuft, läßt sich der Runkfunkberichter forttragen von seinen – freilich sachlich begründeten und begründenden – Emotionen; er schafft also Wirklichkeit auch damit, daß er urteilt, daß er Zensuren verteilt und Partei ergreift – gerade weil der Zuhörer nicht dabei ist.

Der *Zeitungsbericht* schließlich rechnet damit, daß seine Leser das Spiel »live« verfolgt haben. So fängt er an:

»Vor 70 000 Zuschauern im Azteken-Stadion zu Mexiko-City mußte die deutsche Nationalmannschaft im Vorschlußrundenspiel gegen Italien ›programmgemäß‹ schon nach sieben Minuten das 0:1 hinnehmen, als Schulz den eminent gefährlichen Boninsegna unbewacht ließ und dieser den Ball unhaltbar für Sepp Maier aus 20 Meter Entfernung ins deutsche Tor setzte.«

Der Bericht rekapituliert, sagt sparsam, wie es ging und wer verantwortlich war, mit betonter Direktheit und mit dem Schein der Genauigkeit – der trügt, denn ganz sicher war Schulz nicht allein schuld: siehe Rundfunkkommentar. Dann aber ergreift der Berichterstatter seine Chance; er holt weit aus in die Fußballgeschichte:

»Bei strömendem Regen hatten von Beginn an die Italiener, gegen die unsere Nationalmannschaft schon seit 31 Jahren kein Spiel mehr gewinnen konnte, spielerische Vorteile, wodurch sich das Geschehen meist in der deutschen Hälfte abspielte.«

Das ist einerseits eine sachliche Erweiterung; andererseits ist sie gleichzeitig ein Element der kompositorischen Strategie: der Leser – selbst derjenige, der Bescheid weiß – ist mit den Spielern in die eigene Hälfte zurückgeworfen; nichts gelingt; auch dieses Spiel wird schicksalhaft an die bisherige negative Statistik gekettet. Um so dramatischer nachher der Umschwung: der Ausgleichstreffer in der 90. – oder war es gar die 92.? – Minute, die Verlängerung, die zweimal wechselnde Führung (*»die kalte Dusche«*, *»ein weiterer harter Schlag für unsere so tapfere Nationalelf«*, *»was niemand zu hoffen wagte«* ...), und endlich das Siegestor der Italiener, das die Statistik dann eben doch bestätigend verlängert.

Ich sprach von *dem* Zeitungsbericht – es ist klar, daß es Dutzende gab. Und es versteht sich, daß sich die geballten Schlagwortberichte der BILD-Zeitung von den distanzierteren Reportagen überregionaler Zeitungen und daß diese sich wieder von denen der Provinzblätter unterscheiden. Tagtäglich oder doch jeden Montag kann die Probe aufs Exempel gemacht werden. Hier soll indessen noch eine andere Differenzierung in den Vordergrund gestellt werden. Die Berichte sind in ihrem Stil und ihrer Sprache nicht nur vom jeweiligen Medium abhängig, sondern auch vom jeweiligen Gegenstand – und das heißt in unserem Zusammenhang: von der jeweiligen *Sportart*.

Ein einziges Beispiel schon vermag das zu verdeutlichen. Wenn im Fernsehen ein *Trabrennen* direkt übertragen wird, so kann sich der Reporter nicht auf die Position ruhiger Überblicke zurückziehen wie der FS-Fußballberichterstatter. Es gibt keinen Ball, dem er folgen könnte mit seinem Kommentar; alle am Rennen Beteiligten sind wichtig. Der Zuschauer kann die einzelnen Pferde in der Schnelligkeit gar nicht unterscheiden, und gibt ihm die Kameraführung durch einen entsprechenden Ausschnitt die Möglichkeit, den Blick auf *ein* Pferd zu konzentrieren, dann hat er notwendigerweise die Konkurrenten nicht mehr im Auge. Praktisch heißt das: der Berichterstatter muß sich ähnlich verhalten wie ein Runkfunkreporter. Vielleicht mit dem einen Unterschied, daß ihm der direkte, wenn auch bruchstückhafte Augenschein der Zuschauer eher die Chance gibt, über den vordergründigen Ablauf hinaus auch noch die spezifische Situation zu erläutern und eine kritische subjektive Stellungnahme hinzuzufügen.

Diese drei Aufgaben des Kommentators – *Schilderung, Erläuterung, Kritik* – hat Adolf Furler, einer der bekanntesten Sportjournalisten des Fernsehens, am Beispiel eines eigenen Trabrennberichts herausgestellt. Natürlich spielt hier die besondere Sachkenntnis eine Rolle: Furler hat selbst Erfahrung als erfolgreicher Rennreiter. Aber darüber hinaus kommt in solchen Zielsetzungen auch der ganz *persönliche Stil* zum Ausdruck, der durch das jeweilige Medium und den jeweiligen Gegenstand zwar gebunden, aber keineswegs ganz aufgezehrt wird. Es gibt nüchterne Buchhalter unter den Reportern; solche, die mit ihren Worten etwas von der Atmosphäre eines Wettkampfes vermitteln wollen, ohne diesen selbst jedoch zu vergessen; und es gibt schließlich solche, die keinen Satz ohne kostbare Metapher lassen und auch dann noch in üppigen Stimmungsbildern schwelgen, wenn sich Entscheidendes abspielt.

Über die *Metaphorik*, die Bildersprache des Sports, sollte freilich nicht allzu rasch der Stab gebrochen werden. Gewiß bietet sie sich an zur Karikatur: der Läufer, der Bälle serviert; der Verteidiger, der das Bein stehen läßt; der Stürmer, der die Lücken in der gegnerischen Mauer erspäht und aus der Tiefe heraus operiert – all das wirkt, wörtlich genommen, leicht komisch. Aber es gibt einige Gründe, diese Bildsprache zu verteidigen. Zunächst einmal ist sie in manchen Fällen erstaunlich *treffsicher*. Ich erinnere mich, wie ein bekannter Sprachwissenschaftler energie- und verantwortungsgeladene Angriffe gegen die Sportsprache richtete und als Paradebeispiel ausgerechnet den Bericht über einen Torschuß nahm: *Schon im nächsten Augenblick zappelte der Ball im Netz.* Erst nach einiger Zeit stellte sich heraus, daß der Betreffende nur die früher übliche Drahtverspannung zwischen den Torpfosten kannte, für die der Ausdruck tatsächlich unangemessen wäre – in den heutigen Hanfnetzen aber zappelt der Ball wirklich mitunter noch einen Augenblick hin und her, und zudem vermittelt die Redewendung einiges von der »Irreversibilität«, der Unumkehrbarkeit, für die Betroffenen: so ein Tor sitzt fest, es läßt sich – hat der Schiedsrichter nicht zufällig einen Formfehler entdeckt – nicht einfach wegwischen.

Aber selbst für weniger gelungene Sprachbilder gibt es zumindest Entschuldigungen. Die Sportjournalisten taumeln, so hat es Ludwig Dotzert ausgedrückt, ständig hin und her zwischen der Gefahr, »im Konventionellen zu erstarren«, und der anderen, sich »zu versteigen in der heimtückischen Gebirgslandschaft der Metaphern und Vergleiche«. Da der Umsatz und damit der Verbrauch, die Abschleifung außerordentlich hoch ist und da die einzelnen Abläufe strukturell meist nicht so sehr unterschiedlich sind, entsteht für die Journalisten ein gewisser Zwang, ihre Berichte mit neuen, kühnen und eben nicht immer treffenden Bildern aufzufrischen. Unter den Beteiligten – den Reportern und den interessierten Konsumenten – hat sich ein stillschweigendes Einverständnis herausgebildet, die Metaphern weniger im einzelnen ernst zu nehmen, sie vielmehr zu akzeptieren als belebende Farbtupfer. Das ist nicht die einzige sprachliche Konvention dieser Art: so ähnlich werden auch drastische Beschimpfungen unter Jugendlichen oder prahlende Erzählungen an Stammtischen hingenommen.

Erst wer heraustritt aus dem Zirkel der Kommunikation, bemerkt die eigentümliche Übertriebenheit dieser Sprache. Wenn ich schreibe: »Beckenbauer spielte wieder Stoßdämpfer, während Vogts meist in der eigenen Abwehr baggerte und seiner Stilettfunktion nicht gerecht wurde«, dann stoße ich mit dieser erfundenen Formulierung an – sie entspricht aber in ihrer Art und Typik durchaus der tatsächlichen Sportsprache. Dies wird sofort deutlich, wenn geballt zusammengefaßt wird, was sonst in etwas gemäßigterer Verteilung auftritt. *Ror Wolf* hat dies zum Prinzip seines Umgangs mit der Fußballsprache gemacht. Er setzt die üblichen Bildausdrücke spielerisch zusammen, versieht sie mit – wiederum möglichst bildhaften – Adjektiven und baut dann eine Reportage: »Am Ende der zweiten Halbzeit, nach dem groben Schnitzer des knallharten, platzverweisreifen Ausputzers, hob der fleißige, unerhört spritzige Aufbauer den eigentlich harmlosen, durch den drückenden Rückenwind aber in Fahrt geratenen Abpraller über die weichgetrommelte wankende Mauer in die geöffnete Gasse.« Niemand schreibt so außer Ror Wolf – aber alle schreiben ein wenig so.

Sieht man die Bildersprache so in ihrer relativen inhaltlichen Beliebigkeit, dann erledigt sich auch ein Teil des Ideologievorwurfs, den man der Sportsprache gemacht hat: weder ein *Bombenschuß* noch ein *eiskalter Gegenangriff* entlarven die militante Gesinnung des Berichterstatters. Damit soll nicht bestritten werden, daß der »völkerverbindende« Sport zum Beispiel *nationale* und *nationalistische* Einstellungen häufig stabilisiert. Hierzulande sind vor allem die Eiertänze verräterisch, die in der Berichterstattung im Blick auf die Sportler der DDR vollführt werden: es gibt Zeitungen, in denen diese Sportler *dann* als Angehörige einer anderen Nation erscheinen, wenn sie von einem Bundesrepublikaner geschlagen werden, in denen aber gleichzeitig beim Tabellenstand eine imaginäre gesamtdeutsche Mannschaft zusammengezählt und anderen Nationen gegenübergestellt wird. Daß aber solche nationalen Tendenzen der Berichterstattung keine spezifisch deutsche Erscheinung sind, haben Paul Buchloh und Peter Freese anhand *englischer* Zeitungen nachgewiesen, in denen während der Fußballweltmeisterschaft 1966 ganz speziell gegen Deutschland politische Ressentiments mobilisiert wurden. Wenn erst einmal von den seriösesten Blättern festgestellt wird: »*Aggression is west Germany's natural game*« (Aggression – die natürliche

. . . Nun ist der 1. FC aber wieder am Drücker und schon brennt es lichterloh im Strafraum der Müllerei . . .

. . . die machen nun das einzig Richtige: sie machen hinten dicht . . .

. . . und schieben den Schweizer Riegel vor. Sehr clever! . . .

Abstoß ist bereits erfolgt und unverzüglich starten die Müllers einen Gegenzug aus der Tiefe heraus . . .

Gangart, das dauernde Spiel Westdeutschlands), dann geraten auch die an sich vielleicht harmlosen Metaphern von »deutschen Bataillonen«, von »Schlachtgeschrei« u. ä. in den Bereich emotionaler Vorurteile.

Daß solche Wertungen aber heute dem Sport eher als früher von außen aufgesetzt sind, wird sofort deutlich, wenn wir die jetzige Bedeutung des Sports messen an einem der pathetischen Aussprüche, mit denen der Turnvater *Jahn* das von ihm geschaffene Turnwesen überhöhte: Man dürfe, so schrieb er,

> »nie verhehlen, daß des Deutschen Knaben und Deutschen Jünglings höchste und heiligste Pflicht ist, ein Deutscher Mann zu werden und geworden zu bleiben, um für Volk und Vaterland kräftig zu würken, unsern Urahnen, den Weltrettern, ähnlich. – So wird man am besten heimliche Jugendsünden verhüten, wenn man Knaben und Jünglingen das Reifen zum Biedermanne als Bestrebungsziel hinstellt. Das Vergeuden der Jugendkraft und Jugendzeit durch entmarkenden Zeitvertreib, faulthierisches Hindämmern, brünstige Lüste und hundswüthige Ausschweifungen wird aufhören – sobald die Jugend das Urbild männlicher Lebensfülle erkennt. Alle Erziehung aber ist nichtig und eitel, die den Zögling in dem öden Elend wahngeschaffener Weltbürgerlichkeit als Irrwisch schweifen lässet, und nicht im Vaterlande heimisch macht ... Wer wider die Deutsche Sache und Sprache freventlich thut oder verächtlich handelt, mit Worten oder Werken, heimlich wie öffentlich – der soll erst ermahnt, dann gewarnt, und so er von seinem undeutschen Thun und Treiben nicht ablässet, vor jedermann vom Turnplatz verwiesen werden. Keiner darf zur Turngemeinschaft kommen, der wissentlich Verkehrer der deutschen Volksthümlichkeit ist und Ausländerei liebt, lobt, treibt und beschönigt.«

Dieses Zitat, aus dem Abstand einer veränderten Werthaltung ohnehin schon einigermaßen komisch, wirkt nahezu grotesk, wenn man es den heutigen Praktiken, Maßstäben und Werten auf den Sportplätzen und rund um die Sportplätze gegenüberstellt. Eine solche Gegenüberstellung macht deutlich, daß der *ideologische* Gehalt des jetzigen Sports überwiegend in ganz anderer Richtung gesucht werden muß. Er liegt eher in der Zuspitzung des Leistungsprinzips, in der wirtschaftlichen Fremdbestimmung über den einzelnen, und in der fraglosen Selbstverständlichkeit, mit der sich der Sport präsentiert. Die Erklärungen für den Sport, die ethischen Begründungen, die Hinweise auf gesellschaftliche Funktionen treten völlig zurück hinter die massive *Tatsächlichkeit* dieses Phänomens.

»Was erwarten Sie von diesem Kampf?« wird der Altbundestrainer gefragt, und Hunderttausende hören zufrieden: »Der Ball ist rund, und das Spiel dauert 90 Minuten« – und dann laufen diese 90 Minuten ab. Die wirtschaftliche Orientierung wird in eher augenzwinkernd als kritisch verwendeten Wortspielen wie »amatöricht« gegenwärtig; tatsächlich ist eben – so hat es Alex Natan ausgedrückt – nur der Profiboxer ein ehrlicher Mensch. Für die erwähnte ›Zuspitzung‹ gibt es ein sprachliches Indiz, das durch die ganze Sportberichterstattung hindurch beobachtet werden kann: die Konzentration der Reportagen auf *Sieg und Platz, Rekord und Leistung*. Für diese Konzentration sind aber nicht eigentlich die gelegentlichen schwungvollen Metaphern charakteristisch, mit denen die Sieger und Meister gefeiert werden, sondern im Gegenteil die Demonstrationen der Sachlichkeit. Der Leser, Zuhörer und Zuschauer hat längst Totoaugen, einen Tabellenblick – hätte er die Wahl zwischen einem einzelnen, eingehenden Bericht von einem 5000-m-Lauf und kurzen Überblicksberichten über die Siege in verschiedenen Disziplinen, so wählte er wahrscheinlich das letztere. Wer dies bestreitet (und es ist zu hoffen, daß es viele bestreiten), der möge sich selbst kontrollieren bei der nächsten Sportschau des Fernsehens oder bei der Lektüre des Sportberichts.

## Fremdwörter und Puristen

Daß hier keine Verfolgungsjagd gegen alle Fremdwörter empfohlen werden soll, geht aus den bisherigen Kapiteln hervor: sie sind zwar nicht gerade mit Fremdwörtern gepflastert, aber sie halten sich auch nicht an die Richtschnur, jedes Fremdwort strikt zu vermeiden. Manche Fremdwörter sind unversehens im Manuskript gelandet (z. B. eben dieses Wort *Manuskript*), weil sie mir in dem betreffenden Zusammenhang richtig und nötig schienen. An anderen Stellen habe ich gezögert und überlegt; aber auch dann fiel die Entscheidung keineswegs immer *gegen* das Fremdwort. Ich will an drei Beispielen zu zeigen versuchen, warum.

Im Titel dieses Büchleins erscheint das Wort *Dialekte*, und auch im Text wurde nur hie und da einmal die Variante *Mundart* verwendet. Ich könnte mich nun auf den Standpunkt des Historikers stellen und dies damit begründen, daß Dialekt der ältere Ausdruck sei – tatsächlich ist Mundart erst im 17. Jahrhundert im Zeichen bewußter Sprachpflege durch Philipp von Zesen erfunden worden und hat praktisch erst im letzten Jahrhundert, im Zuge der germanistischen Mundartforschung, seine volle Bedeutung gewonnen. Ich könnte auch als Philologe argumentieren, das von Haus aus griechische Wort treffe genauer; bei Mundart könne man auch an Fragen der Kieferbildung und ähnliches erinnert werden – vielleicht hatte dies der Mann im Sinn, der uns die Bitte um eine Tonbandaufnahme seiner Mundart mit der Bemerkung verweigerte, sein Maul gehe nur ihn etwas an. Maßgebend für mich war aber ein anderer Sachverhalt, dessen Kenntnis ich allerdings auch der Erfahrung von Aufnahmefahrten verdanke: das Fremdwort *Dialekt* ist nach wie vor populärer, allgemein verständlicher, während das deutsche Wort *Mundart* doch ein wenig fremd geblieben ist.

Ein zweites Beispiel: ich habe die verschiedenen Arten des Sprachgebrauchs in Anlehnung an Basil Bernstein als *restringiert* und als *elaboriert* oder *differenziert* bezeichnet. Ein Grund dafür liegt darin, daß es sich um »termini technici« handelt, um feststehende Begriffe, die in einer wissenschaftlichen Streitfrage von internationalem Gewicht allenthalben verwendet werden. Ich hätte aber vielleicht darauf verzichtet, wenn sich eine passende Übersetzung angeboten hätte. Das deutsche Wort *beschränkt* sagt seiner Entstehung nach genau das gleiche wie das Fremdwort *restringiert*: es sind Schranken gesetzt, Fesseln angelegt, die eine freie Entfaltung nicht erlauben. Aber im geläufigen Sprachverständnis werden diese Schranken nicht immer mitgedacht, mindestens nicht als etwas, das beseitigt werden könnte: *beschränkt* heißt hier auch soviel wie *doof*. Für *elaboriert* oder *differenziert* dagegen bietet sich überhaupt nicht ohne weiteres eine Übersetzung an; Ausdrücke wie *ausgefeilt* und *verfeinert* führen eher in Richtung auf eine dezente, für höhere Geselligkeit angemessene Sprache, sagen aber zu wenig von dem Reichtum an sprachlichen und damit kommunikativen Möglichkeiten, der das Wesen des differenzierten Kodes ausmacht.

Schließlich ein dritter Fall: die Kapitelüberschrift *Expertendeutsch*. Natürlich ist der Experte ein *Fachmann*, und von *Fachleuten* und *Fachsprachen* war denn auch immer wieder die Rede. Aber eine kleine – wenn man will: atmosphärische – Nuance scheint mir für das Wort *Experte* zu sprechen. Während in den entsprechenden deutschen Wörtern tatsächlich etwas von Auffächerung, von klarer Gliederung in verschiedene übersichtliche Bereiche liegt, schwingt in dem Fremdwort mehr mit von der hochgradigen Spezialisierung der Produktions- und Konsumwelt, und es deutet zudem etwas an von der internationalen Verflechtung, die für diese Phase extremer Arbeitsteilung und hochspezialisierter Tätigkeiten charakteristisch ist.

Mit dieser Feststellung soll freilich nicht behauptet sein, daß Fremdwortgebrauch und Fremdwortbekämpfung erst Probleme der jüngsten Vergangenheit sind. Es ist in diesem Zusammenhang unvermeidlich, in die deutsche *Sprach-* und vor allem *Wortgeschichte* auszugreifen, und zwar sehr weit auszugreifen. Eines der auf dem Markt befindlichen Fremdwörterlexika beginnt schlicht und richtig mit der Bemerkung: »Das Fremdwort in der deutschen Sprache ist so alt wie das Deutsche selbst.« Ähnlich wie beim Fachwortschatz – und vielfach in enger Verbindung damit – lassen sich die Epochen der Sprachgeschichte gliedern und charakterisieren nach dem von außen eindringenden Sprachgut. Während der römischen Besetzung germanischer Gebiete wurden in bestimmten und zwar in sehr wichtigen Sachbereichen mit den Dingen und Verfahren auch die Vokabeln übernommen: Wörter wie *Mauer, Keller, Ziegel,* aber auch *Küche, Schüssel, Wein, Kelter* stammen aus dem Lateinischen. Das gleiche gilt für Ausdrücke, die im Zuge der Christianisierung zu uns kamen, wie etwa *predigen, Altar, Kloster, nüchtern.* Im hohen Mittelalter ist eine erste Welle französischen Einflusses zu registrieren, vor allem bei ritterlichen Begriffen des Turnierwesens. Im Zeichen humanistischer Gelehrsamkeit drangen dann noch einmal viele lateinische Begriffe ein wie *Akademie, Klasse, studieren,* aber auch Fachbegriffe des Buchdrucks wie *illustrieren, korrigieren, Format.* Um die gleiche Zeit wurden über die Sprache der Kaufleute viele ursprünglich italienische Wörter vermittelt; ich nenne als Beispiel *netto, Prozent, Bank, Konto.* Wie wichtig in solchen Fällen der erste Einfluß, die ›Initialzündung‹ ist, zeigt die Tatsache, daß sich diese italienischen Begriffe – vor allem über kaufmännische Lehrbücher – auch dann erhielten, als der Handel längst von England beherrscht war.

Italienische Fachwörter dringen auch noch im 17. und 18. Jahrhundert ein, vor allem auf dem Gebiet der Musik; im übrigen ist dies aber die Zeit des französischen Einflusses, die *Alamode*-Epoche. Die fremden Begriffe wurden hier gewissermaßen nicht als Einzelstücke, sondern durch eine verhältnismäßig große, auch im Alltag französisch sprechende Schicht vermittelt. Die Briefe Johann Sebastian Bachs enthalten zum Teil mehr Französisch als Deutsch; Friedrichs des Großen eindeutige Entscheidung für das Französische ist bekannt, und wenn Voltaires Bemerkung, in Preußen sei Deutsch nur für die Soldaten und die Pferde da, auch gewiß übertrieben ist, so zeugen doch schon die damals weitverbreiteten Anredeformeln *Monsieur, Madame, Mademoiselle* für die weitreichende Geltung der französischen Sprache. Auch hier sind es wieder bestimmte Lebensbereiche, die bevorzugt mit neuen Wörtern bestückt werden; dazu gehört der Bereich des geselligen Vergnügens einschließlich der Eßkultur (*Ball, Karussell, Redoute, Bouillon, Gelee, Omelette*) und der Umkreis modischer Wohnung und Kleidung (*Mode, Frisur, Teint, Taille, Balkon, Korridor, Möbel, Sofa*). Aber auch allgemeine Begriffe wie *nett, charmant, nobel, pikant, Kompliment, Kavalier, Kabinett, spendieren* setzten sich damals in der deutschen Sprache fest.

Diese Aufzählung könnte leicht ergänzt werden durch umfangreiche Hinweise auf die späteren Übernahmen; es mag genügen, zu erwähnen, daß es neben vereinzelten slawischen Einflüssen (*Droschke, Steppe, Tornister,* aber auch *Kollektiv, Kosmonaut, Kolchose*) vor allem angloamerikanische sind, die seit etwa 200 Jahren und bis in die Gegenwart hinein vorherrschen: Sowohl industrielle, ökonomische, politische Begriffe wie solche der modernen Massenkultur und Lebensweise (von *Jazz* bis *Hostess,* von *Call-Girl* bis *Striptease*) sind aus dem Westen eingedrungen. Die Intensität dieser sprachlichen Bewegung wird daraus deutlich, daß sie sich keineswegs auf Westdeutschland beschränkte. In Frankreich stellte René Etiemble ein sehr erfolgreiches Buch unter die ironische Frage: »Parlez-vous Franglais?«; in der Schweiz macht man sich Gedanken über die fortschreitende Anglisierung der Sprache; und auch in der DDR sind Ausdrücke wie *Team, Hobby, Teenager, Baby* u. ä. durchaus üblich.

Ein solcher historischer Abriß führt unweigerlich auf die Frage zu, was eigentlich ein *Fremdwort* ist. Gewiß kann man die historische Entwicklung auch als jahrtausendelange heroische Abwehrschlacht interpretieren, und fanatische Sprachpfleger haben das mitunter getan: Bildungen wie *Windauge,* so heißt es dann, beweisen, »daß Entlehnungen wie *Fenster* keine zwingende Notwendigkeit waren«; die Christianisierung gilt als *Überfremdung* gewaltigen Ausmaßes; den humanistischen Gelehrten haben wir »im Grunde den Fremdwortwust in aller Wissenschaft« zu danken – und so fort. Aber je weiter in dieser Beweisführung zurückgegriffen wird, um so offenkundiger wird sie fragwürdig. Sind *Fenster, Mauer, Wein* wirklich Fremdwörter? In der Philologie hat man sich damit geholfen, daß man die Kategorie des *Lehnworts* einführte, das zwar dem Ursprung nach fremder Herkunft, aber im übrigen völlig in die Sprache eingeschmolzen ist. Und gerade dafür suchte man bestimmte Merkmale: die Anpassung in Wortgestalt und Wortbildung, die deutsche Art der Flexion, die eingedeutschte Schreibung. Ich bin froh, diese Regeln – die Wörter wie *spazieren, charmant* u. ä. meistens unter den Fremdwörtern belassen – hier nicht im einzelnen darlegen und verteidigen zu müssen. Hier ist eine andere Feststellung ausreichend und wesentlich: Fremdwort ist eine *gelehrte* Kategorie, gehört in erster Linie zu den Einteilungen der Sprachhistoriker, die von jedem Wort den Stammbaum verlangen. Für den durchschnittlichen Sprecher, Hörer und Leser gilt dagegen die Unterscheidung zwischen *verständlich* und *unverständlich.* Dabei wird man annehmen dürfen, daß unter den unverständlichen Begriffen im allgemeinen etwas mehr Fremdwörter im Sinne einer philologischen Definition sind; aber weder sind alle Fremdwörter unverständlich, noch sind alle Nicht-Fremdwörter verständlich.

Gerade der Gesichtspunkt der Verständlichkeit war aber für die eingefleischten Gegner des Fremdworts nie besonders wichtig. Man nannte sie *Puristen*: Leute, welche die Sprache pur = rein halten wollen von allen »Überfremdungen«. Ihre Kampfstellung war fast immer dann am entschiedensten, wenn sich fremde Begriffe in großer Zahl einzubürgern begannen oder schon eingebürgert hatten, wenn sie also schon weiten Kreisen der Bevölkerung zur mühelosen Verständigung dienten. Und ihre Gegenvorschläge lagen gelegentlich so weit ab vom allgemeinen Verständnis, daß sie die Kommunikation eher erschwerten. Clemens Brentano hat dies in seinem »Märchen vom Murmeltier« ironisch zugespitzt; er berichtet, wie der Sohn eines führenden Sprachpflegers seiner Zeit sprechen lernt: »so schön, so richtig, so rein, daß auch kaum ein Härchen fehlte, daß man ihn gar nicht verstanden hätte«. Schon aus der ersten Phase des Purismus, die geprägt ist durch die Bemühungen der barocken deutschen Sprachgesellschaften, gibt es eine ganze Anzahl von Vorschlägen, die uns heute nur noch ein mitleidiges Lächeln abnötigen: *Leichentopf* für *Urne*, *Jungfernzwinger* für *Kloster*, *Tagesleuchte* für *Fenster*, *Zitterweh* für *Fieber*, *Lusthöhle* für *Grotte*, *Gesichtserker* für *Nase*. Dies waren Vorschläge Philipp von Zesens; ihnen könnten spätere wie die des von Brentano ironisierten Joachim Heinrich Campe an die Seite gestellt werden: er schlug *Süßchen* für *Bonbon*, *Lotterbett* für *Sofa* und *Griffbrett* für *Klavier* vor.

Aber wenn wir uns diese Wortschöpfungen karikierend ausmalen, verhalten wir uns nicht ganz fair und verfehlen eine wesentliche Eigenart der Sprache. Sie ist nach einem Wort Jean Pauls ein »Wörterbuch verblaßter Metaphern«; der bildhafte Sinn fast aller Wörter ist abgeschwächt und bleibt beim normalen Gebrauch verborgen. Das heißt praktisch: wären die seinerzeit vorgeschlagenen Wörter aufgenommen worden, so wären weder *Jungfernzwinger* noch *Zitterweh* für uns komisch; es wären vielmehr formelhafte Träger von Informationen wie die anderen Wörter auch. Dies muß nicht nur aus prinzipiellen Gründen betont werden, sondern auch im Blick auf die beiden genannten Fremdwortgegner, die mit ihren Eindeutschungen großenteils außerordentlich erfolgreich waren. Auf Philipp von Zesen gehen Wörter wie *Anschrift*, *Hochschule*, *Jahrbuch*, *Oberfläche*, *Schauspieler*, *Tiergarten* zurück, denen heute niemand mehr ihre künstliche Bildung ansieht. Und von Campe, der ein »Wörterbuch zur Erklärung und Verdeutschung der unserer Sprache aufgedrungenen fremden Ausdrücke« zusammenstellte, könnte eine besonders lange Reihe von Vorschlägen angeführt werden, die sich durchsetzten; ich beschränke mich

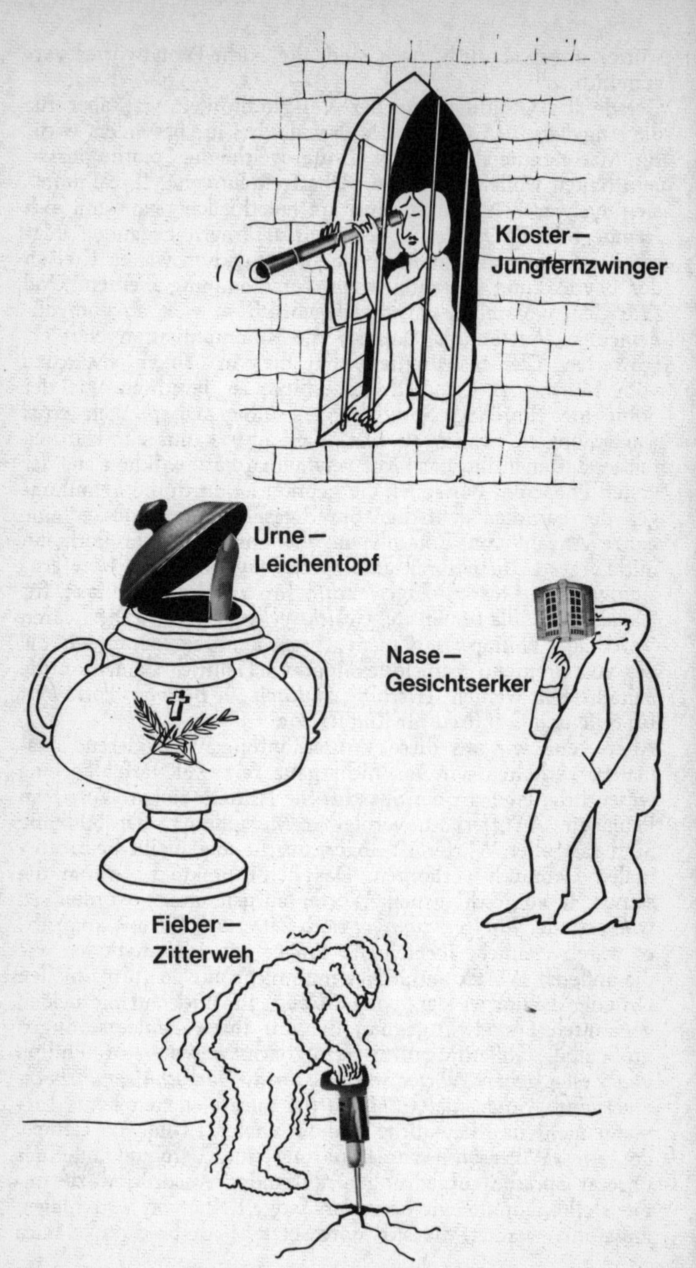
Kloster –
Jungfernzwinger
Urne –
Leichentopf
Nase –
Gesichtserker
Fieber –
Zitterweh

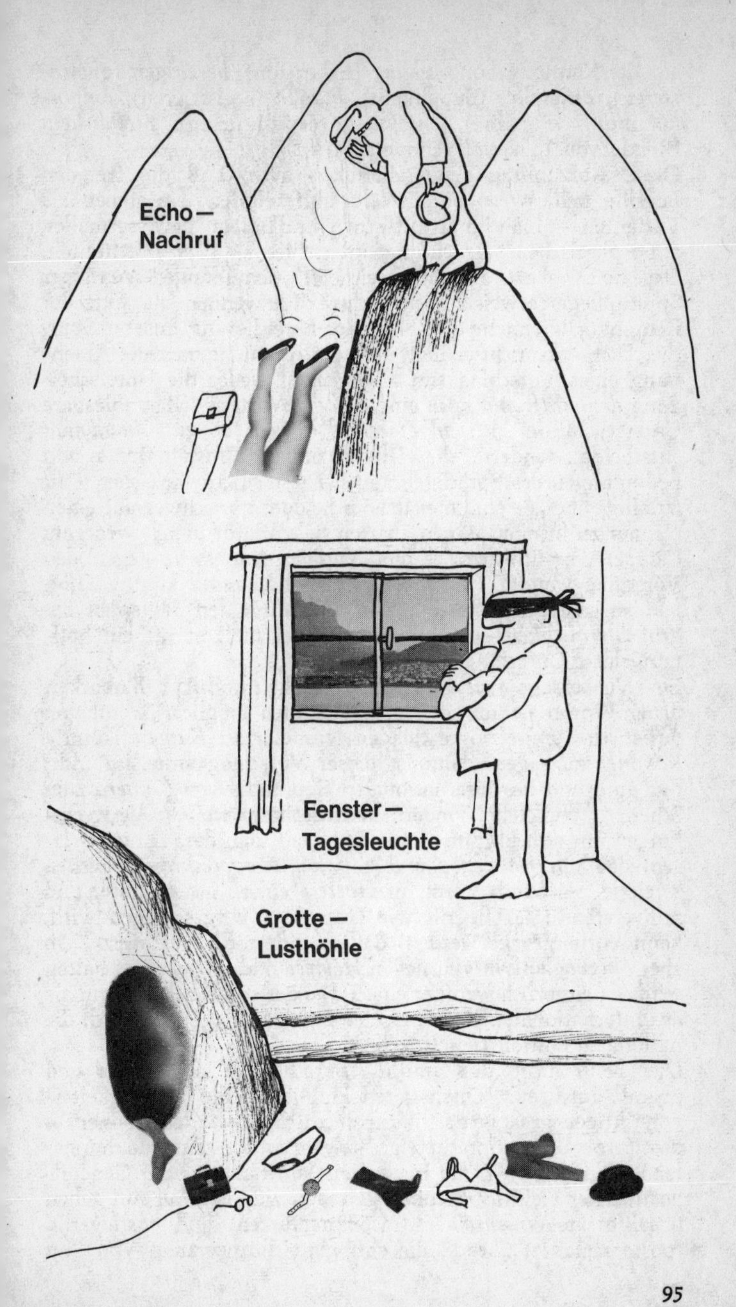
Echo –
Nachruf
Fenster –
Tagesleuchte
Grotte –
Lusthöhle

auf die Nennung von *Ausflug* (Exkursion), *befähigen* (qualifizieren), *Bittsteller* (Supplikant), *buchen* (registrieren), *Emporkömmling* (Parvenü), *enteignen* (expropriieren), *Stelldichein* (Rendezvous), *Weltall* (Universum).
Diese Aufzählung zeigt allerdings auch, daß die fremden Begriffe keineswegs völlig verdrängt wurden: sie stehen als Varianten – manchmal mit schwer faßbarem, gewissermaßen atmosphärischem Bedeutungsunterschied – zur Verfügung. Das heißt aber: die erfolgreicheren Bemühungen deutscher Sprachpfleger erweisen sich nachträglich weniger als Akte der Reinigung, vielmehr als solche der Bereicherung unserer Sprache. Dem entspricht es, daß über die Annahme oder die Ablehnung eines Vorschlags im allgemeinen weder die Unterscheidung *deutsch/fremd* noch eine an den Wörtern selbst ablesbare Unterscheidung *gut, angemessen / weniger gut, inadäquat* entscheidet, sondern sehr viel eher äußere Konstellationen und Bedingungen des Sprachgebrauchs. Diese sind zwar sicher nicht zufällig; aber sie sind meistens nicht oder nur schwer auf einen Nenner zu bringen. Einen aparten Beleg dafür bietet wiederum Campe, der sich trotz seiner Verdeutschungswut gegen den Vorschlag wandte, für *Demoiselle* und *Mamsell* künftig *Fräulein* zu sagen und anstelle von *Mortalität* den deutschen Begriff *Sterblichkeit* einzuführen – beides hielt er für ein hoffnungsloses Unterfangen.
Eine Vorhersage über die Durchsetzbarkeit und Annehmbarkeit neuer Wörter ist nur in Ausnahmefällen möglich. Wenn von puristischer Seite vorgeschlagen wurde, statt *Kamera* künftig *Kammer* zu sagen, dann ist dieser Vorschlag sicherlich nicht nur aufgrund des internationalen Gebrauchs von *Kamera* zum Scheitern verurteilt, sondern auch deshalb, weil er Verwechslungen mit sich brächte – mit Recht hat man darauf hingewiesen, daß ein *fotogenes* und ein *›kammergerechtes‹* Mädchen zweierlei sei. Auch wenn für *Hostess* ein so geschraubter und mißverständlicher Begriff wie *Gastpflege* vorgeschlagen wird, kann vorhergesagt werden, daß er sich nicht durchsetzt. Ob aber *Flugbegleiterin* sich neben *Hostess* oder *Stewardess* halten wird, ist sicherlich weniger eine Frage der sprachlichen Form als des internationalen Verkehrs und der Sprachregelung durch die nationalen Luftfahrtgesellschaften.
Dies heißt nicht, daß amtliche Sprachpflege sich immer und überall durchsetzt. Einen guten Einblick in die Zufälligkeit – vorsichtiger gesagt: das Nicht-durchschaut-werden-Können – des Erfolgs der Sprachpflege gewähren die Eindeutschungstendenzen der Post, die im letzten Jahrhundert vom Generalpostmeister Heinrich Stephan getragen wurden. Auf ihn gehen Begriffe wie *einschreiben* (recommandieren) und *postlagernd* (poste restante) zurück, die sich glatt durchsetzten. Von ihm

stammt aber auch die Übersetzung *Fernsprecher* für *Telephon*, die bis heute amtlich strikt beibehalten wurde (Fernsprechamt, amtliches Fernsprechbuch, Fernsprechgebühren), die aber im alltäglichen Sprachgebrauch kaum eine Rolle spielt: selbst entgegen der Aufschrift »Fernsprecher« sagt jedermann *Telefonzelle*. Versuchsweise lassen sich Gründe dafür anführen. Wichtig dürfte der im engeren Sinne sprachliche sein, daß Fernsprecher sich gegenüber Weiterbildungen widerspenstiger verhält: man *telefoniert*, aber man *führt ein Ferngespräch*; etwas wird *telefonisch* weitergegeben – oder *mittels Fernsprecher*. Weiter kann auf den Wohlklang von Telefon hingewiesen werden. »Nachts ging das Telefon, – und ich wußte schon, das kannst nur du sein«, heißt es in einem alten Erfolgsschlager. Vielleicht transportiert das Wort einfach mehr von dem zugleich geheimnisvoll Fernen und vertraut Nahen, das in der Sache liegt; vielleicht empfinden wir aber auch das nur so, *weil* sich das Wort durchgesetzt hat. Daß bei solchen Interpretationen Vorsicht geboten ist, zeigt der umgekehrte Verlauf in der Gebrauchshäufigkeit von *Television* und *Fernsehen*. Hat sich der einheimische Begriff hier durchgesetzt, weil er schlicht und genau sagt, was die Faszination dieses neuen Mediums ausmacht? Oder ist hier nicht vielleicht mehr die Werbung einer sich mächtig ausweitenden Industrie verantwortlich, die schon bald auf den Begriff *Fernseher* einschwenkte? Warum aber tat sie das – sollte dem neuen Gerät so der Anschein des Fremden genommen, sollte es rasch auch bei den wenig Gebildeten eingebürgert werden? Aber erliegen nicht gerade sie der Ausstrahlungskraft vorher unbekannter Fremdwörter?
Ich muß es bei den Fragen bewenden lassen, da kaum Hinweise für eine bündige Antwort vorliegen. Vielleicht deshalb, weil solche Fragen heute sehr viel weniger erörtert werden als früher, weil es nur noch eine sehr kleine Zahl von Leuten gibt, die gegen Fremdwörter auf die Barrikaden gehen. Die Einführung des Fernsprechers fiel in eine Zeit, in der wohl die entschiedenste Ausweitung von Fremdwörtern zu registrieren war – und zwar in enger Verbindung mit der Ausbreitung neuer wissenschaftlicher Methoden, technischer Geräte, neuer Arbeitsvorgänge und Industrieprodukte. Bis dahin waren Fremdwörter mindestens zu einem größeren Teil und wenigstens in den ersten Phasen der Übernahme modisches Vokabular, Ausdruck gesellschaftlicher Stilisierung. Es gab weithin die Möglichkeit, ohne Fremdwörter zu leben und gleichwohl alles Wesentliche richtig und angemessen zu benennen. Jetzt aber überfluteten die fremden Wörter die Sprache und drangen tief in die Lebensweise jedes einzelnen vor. »Völliger Gegensatz zu Schifferkreisen« hat *Gottfried Benn* den Abschnitt eines Essays überschrieben; darin schildert er die zwangsläufige Zerstücke-

lung der Erlebnisabläufe und die Flüchtigkeit der zahllosen Eindrücke – das heißt aber zugleich ihre Fremdheit, für die dann auch fremde Wörter der angemessene Ausdruck sind:

Totale Auflösung, monströseste Konglomerate,
neurotische Apokalypsen, transhumane Foken,
Jaktation, hybridestes Finale –:
Individual-Ich: abgetakelt,
Psychologie: zum Kotzen,
Entwicklungsprinzip: der Hund bleibt am Ofen,
Kausalgenese: wer will das wissen,
Ergebnis: réponse payée!!

Dies ist ein Ausschnitt des Gedichts »Prolog«, das Benn 1920 in Berlin schrieb. Natürlich gibt es viel von seiner persönlichen Verfassung wieder; durch die ganz individuelle Gestimmtheit hindurch aber wird etwas sichtbar von der Wirklichkeit, einer diffusen, entfremdeten, nicht mehr durchschaubaren Wirklichkeit.

Hier zeigt sich, daß der Fremdwortgebrauch keine Frage philologisch-stilistischer Auswahl allein war und ist, und ebenso läßt sich die Fremdwortbekämpfung nicht auf diesen Bereich einengen. Zumindest in der ausgeprägten Form des Purismus hatte sie immer *weltanschaulichen* Bekenntnischarakter: gegen Überfremdung, gegen das Undeutsche, gegen den Ungeist der Großstädte, gegen die Asphaltliteraten. Der *Allgemeine deutsche Sprachverein*, der 1885 gegründet wurde, setzte sich ein für »Heilung von Entartungen und Verkrüppelungen« und fand mit seinen Verdeutschungsbüchern und seiner Zeitschrift vor allem in akademischen Kreisen Gehör. Im Jahre 1910 hatte er nicht weniger als 30 000 Mitglieder – und das hieß: Anhänger einer konsequenten sprachlichen Eindeutschungspolitik. Diese Zahl erklärt, daß ein Schriftsteller wie Eduard Engel Jahr für Jahr seine Schriften gegen die »deutsche Mengselsprache« und für die »Entwelschung« veröffentlichen konnte – Schriften, in denen sich so kernige Sätze fanden wie: »Das Fremdwort ist innerlich gemein bis zur Pöbelhaftigkeit« und die den deutschen Unterrichtsministern den folgenden Erlaß ans Herz legten: »Kein deutscher Lehrer wird angestellt, befördert und – ausgezeichnet, der sich nicht in Wort und Schrift möglichst reiner deutscher Sprache befleißigt.« In solchen Schriften war der Weg zur Sprachpflege des Nationalsozialismus vorgezeichnet, dessen Führer vor allem in den ersten Jahren ihrer Herrschaft gegen die jüdische und westeuropäische »Zersetzung« der deutschen Sprache wüteten; der deutsche Sprachverein wurde als »SA unserer Muttersprache« bezeichnet.

Im Jahr 1947 wurde eine Nachfolgeorganisation des Sprachvereins gegründet, die *Gesellschaft für deutsche Sprache*, für die jedoch puristische Zielsetzungen nicht mehr maßgebend waren — ihr oberstes Ziel ist es vielmehr, allen zu »helfen, die in sprachlichen Fragen Rat brauchen«, und ihre Zeitschrift mit dem alten Titel »Muttersprache« hat sich mehr und mehr zu einem Organ sprachwissenschaftlicher Beobachtung und Theorienbildung gewandelt. Die alten Bestrebungen sind freilich keineswegs völlig tot; sie haben sich auf kleinere Organisationen verlagert, von denen die bekannteste der Hamburger *Verein für Sprachpflege* unter dem Vorsitz Heinrich Heegers ist. Der oberste Grundsatz dieses Vereins — mit Klebetiketten und Stempeln verbreitet — lautet:

Kein Fremdwort
für das, was deutsch
gut ausgedrückt
werden kann!

Dies klingt vernünftig und gemäßigt, und es kann kein Zweifel bestehen, daß von Eduard Engel auch zu Heeger keine bruchlose Linie führt. Aber im Grunde sind die Hamburger Sprachpfleger doch der Ansicht, daß *alles* deutsch gut und gut deutsch ausgedrückt werden kann — sie greifen ohne zu zögern sogar auf untergegangene gotische oder althochdeutsche Wörter zurück und formen sie so, daß sie nach ihrer Auffassung einen modernen Sachverhalt treffen. In solchen Versuchen, die hier nicht ausgebreitet werden sollen, wird ebenso wie in der bewußten Verwendung »gotischer« Schrifttypen dann doch die weltanschauliche Deutschtümelei erkennbar.
Deutsche Wörter sind deutscher als Fremdwörter — auf diese Feststellung laufen letztlich die meisten puristischen Argumente hinaus. In ihren sonstigen, sachlichen Behauptungen lassen sie sich großenteils leicht widerlegen. Ich führe einige an. Da ist die Rede vom schwammigen Charakter der Fremdwörter. In der Tat, was ist nicht alles *interessant*! Aber es gibt Zusammenhänge, in denen es eben auf diese Vielseitigkeit des Begriffes ankommt, so wenn Goethe in seinem Vorspiel auf dem Theater sagt, das Leben sei, wo man es packe, *interessant* — eine Stelle, die Eduard Engel wohlweislich unterschlug, als er seine berüchtigte »Goldprobe des Welsch« empfahl, bei der Fremd-

Auflage: 4000

# Der Sprachpfleger

Blätter zur Pflege der deutschen Sprache

Herausgegeben im Auftrage der Vereine für Sprachpflege

8. Jahrgang Hamburg, Spätling/Herbst/Spätjahr 1970 Heft 5/6 (37/38)

## Muttersprache

Ob ihr es mögt, ob ungern hört,
ob es euch wohltut oder stört:
Ich rede deutsch, wie mich gelehrt
die Eltern, die ich hoch verehrt.

Weh denen, die die Sprache morden,
in der einst Deutsche stark geworden;
weh ihnen, die ihr Volk vergessen,
wenn sie aus fremden Schüsseln essen,
die glauben sich nur dann gelitten,
wenn sie geschmückt mit fremden Sitten. –
Weil andre auf uns Deutsche schelten,
soll Deutsch bei ihnen nicht mehr gelten?
Oh – wüßtet ihr, wie arm ihr seid
in eurer Fremdenseligkeit!

Es ist, solang es Völker gibt,
verachtet, wer sein Volk nicht liebt.
Der Muttersprache heiliger Laut
ist es, der uns die Heimat baut.

Aus dem »Sprachpfleger«

wörter in berühmte Zitate eingefügt werden (»Es bildet ein Talent sich in der Stille/Sich ein Charakter im Milieu [statt: in dem Strom] der Welt«), wo sie dann freilich stören. Außerdem gibt es – darauf hat Wolfgang Fleischer hingewiesen – viele Sprachsituationen, »wo es auf einen begrifflich völlig eindeutigen, differenzierten Ausdruck gar nicht ankommt« und wo deshalb »das umfassende Fremdwort angebracht« ist. So wäre es völlig unsinnig, dem Vorschlag des Vereins für Sprachpflege zu folgen und das Stichwort »Information« durch Dutzende von anderen, deutschen Begriffen zu ersetzen. Umgekehrt ist in vielen Fällen das Fremdwort genauer und treffender, weil es bestimmten Gegenständen oder Vorgängen eindeutig zugeordnet ist – Beispiele wären zu Hunderten etwa aus dem Bereich der Wissenschaften und der Technik anzuführen.

Schwieriger und diskutabler ist das Argument, die deutschen Wörter seien, weil älter, auch vertrauter und verständlicher. Fürs erste läßt sich die Behauptung leicht ad absurdum führen: deutsche Fremdwörter sind ja doch *deutsche* Fremdwörter, und wären sie nicht vertraut und verständlich, so würden sie auch nicht gebraucht. *Karl Kraus* hat gerade in diesem Sinne von der »Sprachpeinigung« der Sprachreiniger gesprochen – ihr historisch-philologischer Eifer führt ja in vielen Fällen gerade vom Vertrauten weg. In differenzierterer Form hat neuerdings Herbert Drube das Argument verwendet: während die deutschen Wörter in »organischer Verbindung« mit »dem gesamten Wortschatz einer Sprache stehen« und sich vor allem an bestimmte vertraute Wortfamilien anlehnen, sind die Fremdwörter für den durchschnittlichen Sprachbenutzer sehr viel stärker isoliert. Das ist richtig, aber ebendies kann in vielen Fällen *für* das Fremdwort sprechen – auch sprachlich gibt es Situationen, in denen sich eine Emanzipation von der Familie empfiehlt. Ein Wort wie *fortschrittlich* beispielsweise enthält zwangsläufig einen Rest von absolutem Fortschrittsglauben und bleibt gleichwohl fast etwas altväterisch und vortechnisch – da ist es kein Wunder, daß *progressiv* vorgezogen wird. Dazu kommt, daß dieses Wort auf eine neue, internationale Familienverbindung zielt, wie ja überhaupt wichtige Fremdwörter durch ihre Internationalität die größeren Zukunftschancen haben.

Neben der *Praktikablilität* und der in vielen Fällen gegebenen höheren *Präzision* gibt es allerdings ein drittes Motiv für die Fremdwortverwendung, das problematisch bleibt: *Prestige.* Die amerikanische Zeitschrift »Newsweek« zitierte 1963 einen deutschen Luftwaffenoffizier: »Ich fliege *leader.* Wir machen den *climb-out* in *parade formation.* Wenn wir *airborne* sind und das *landing-gear* hoch *is,* gibt jeder dem *leader* ein *thumbs-up for close panels.* Wir machen *two-interval breaks and final landing.* Ich nehme *down-wind side. Any questions?*« Daß dieses Zitat wohl kaum übertrieben ist, läßt sich auf jedem militärischen Flugplatz feststellen: die Piloten wurden in Amerika ausgebildet, und Luftverkehr und Flugsicherung sind amerikanisch geprägt. Aber darüber hinaus hat sich dieses

Kauderwelsch gewiß nur durchgesetzt, *weil* es von andern nicht verstanden wird, weil es das elitäre Bewußtsein der Flieger ausdrückt. Das heißt nicht, daß die Wörter in jedem Einzelfall ausgesucht und gezielt verwendet würden; aber diese Sprache gehört gewissermaßen zum Berufsbild, zum Image der Flieger. Wer sie kritisiert, wird also nicht nur nach der hier eindeutig sichtbaren Abhängigkeit von den USA fragen müssen, sondern auch nach der exklusiven Stellung solcher Militärs innerhalb der deutschen Gesellschaft.

Der Fremdwortgebrauch als Mittel gesellschaftlicher Distanzierung – und man wird hinzufügen müssen: als Hindernis bei der Überbrückung sozialen Abstandes – *das* ist das eigentliche Problem. Der Musterfall für dieses Problem ist so gegenwärtig, daß er hier nicht ausgeführt zu werden braucht: das Verhältnis zwischen den Studenten und – keineswegs nur den Arbeitern, sondern einem Großteil der übrigen Bevölkerung. Schon Eduard Engel – eine kleine Ehrenrettung wenigstens! – wandte sich gegen das »grauenvolle Protzenwelsch«, mit dem die Arbeiter von der Bildung ausgeschlossen und höchstens zu einer fragwürdigen »Nachäffung des halbgebildeten Bürgertums« gedrängt werden. Man wird nicht sagen können, daß sich darin gar zuviel geändert habe. Manche – nicht alle – studentische Gruppen, die sich um Überbrückung bemühen, beweisen durch ihre nichts überbrückende Sprache, daß vieles von dem, was sie als Massenbewegung betrachten, nur eine ziemlich geschlossene Subkultur ist.

Aber: dieses eigentliche Problem erweist sich bei genauerem Zusehen als kein *Fremdwort*-Problem. Ich zitiere wörtlich aus einer Fernsehdiskussion über Umweltplanung:

> »Sie gingen davon aus, daß Voraussetzung für eine größere Deckung des Bedarfs – eine gewisse Stabilisierung innerhalb der Regionalstrukturen erreicht werden muß. Das bedeutet, daß also die Mobilität – sprich: die freie Wahl des Wohn- und Arbeitsplatzes – dadurch eingeschränkt werden sollte, daß die Qualität der Umweltbedingungen, der Wohnbedingungen und der Arbeitsbedingungen in den bundesdeutschen Regionen und Städten etwas mehr angeglichen werden und damit die Städte aus diesem leidigen Konkurrenzkampf, in dem sie im Augenblick liegen, etwas entbunden werden. Das bedeutet –«
>
> »– nicht Reduzierung von Mobilitäten, sondern gleichmäßige Mobilitäten, das heißt –«
>
> »Ja, aber doch kalkulierbare Mobilitäten, denn sonst kann ich ja, muß ich ja immer reagieren und kann nicht weitgreifende Ziele konzipieren. Ich wollte da nur noch einen Gesichtspunkt zu sagen. Ohne Frage hat dieser Konkurrenzkampf der Städte auch auf dem Wohnungsmarkt zum Teil

zu landesplanerisch unsinnigen Entscheidungen geführt; dennoch ist dieser Konkurrenzkampf unzweifelhaft im Augenblick in unserer kapitalistischen Gesellschaft ein starker Motor für bessere Qualität auch auf dem Bereich der Stadtplanung. Und ich möchte in Frage stellen, ob ein weitergreifendes dirigistisches Eingreifen, wie wir 's ja aus den Ostblockstaaten kennen, automatisch auch zu einer Verbesserung der Wohn- und Umweltqualität führen muß. Ohne Frage zu einer Erleichterung bei Standortfragen; aber, wie wir doch sehen, nicht unbedingt im Wohnungsangebot und in der Wohnungsqualität im städtebaulichen Zusammenhang.«

»Ja, ich würde auch Herrn K. nie so verstanden haben, daß er etwa die heute erwünschte räumliche, soziale und berufliche Mobilität oder die soziale Mobilität, die in der Regel mit räumlicher und beruflicher Mobilität verbunden ist, gekoppelt ist, reduzieren will, sondern er möchte, wenn ich ihn recht verstehe, durch eine entsprechende Infrastruktur-, Umwelt- oder jetzt im engeren Sinne Wohnungsbaupolitik gewährleisten, daß jede Region eine spezifische Attraktivität besitzt, die nicht dazu führt, daß bestimmte Teile des Bundesgebietes oder des Landes ausbluten und damit den verbleibenden Teilen der Bevölkerung nicht mehr die Basis der Versorgung mit allen möglichen Einrichtungen und Gütern und Arbeitsplätzen usw. und Erholungsqualitäten gibt.«

Die Diskussion zeigt, wie einzelne Wörter gewissermaßen als Chiffren, als Abkürzungen behandelt werden, die für die beteiligten Fachleute eine ganze Kette von Tatsachen und Überlegungen vertreten. Hier kann und muß kritisch gefragt werden, ob bei einer öffentlichen Diskussion vor großem Publikum nicht sehr viel häufiger übersetzt, erläutert, ausgeführt werden sollte – ob also nicht gesagt werden sollte, daß *kalkulierbare Mobilitäten* Bevölkerungsverschiebungen sind, die sich berechnen, die sich zumindest abschätzen lassen. In anderen Fällen freilich ist die Übersetzung problematisch.

*Spezifische Attraktivität* – hier wird die Angelegenheit schon problematisch; ist *besondere Anziehungskraft* wirklich verständlicher? Oft haben sich die Bedeutung des Fremdwortes und die Bedeutung des entsprechenden einheimischen Wortes in Nuancen auseinanderentwickelt. Bei *Anziehungskraft* dürften im Zeitalter der Raumfahrt die meisten Leute an eine physikalische Qualität denken – Anziehungskraft der Erde. Wenn aber von jungen Mädchen die Rede ist oder auch von Ferienzielen oder von Wohngebieten – dann ist *anziehend* weniger *attraktiv*, dann ist *attraktiv* das *anziehendere* Wort.

Nicht zu vergessen aber ist eine dritte Beobachtung. Es sind

ja ganz und gar nicht bloß die Fremdwörter, die hier das Verständnis erschweren, sondern es sind auch einzelne deutsche Vokabeln wie *landesplanerisch*, *Verwaltungsebene* u. ä.; und es ist die mitunter schwierige Konstruktion der Sätze.
Und erst mit dieser Beobachtung rücken wir das Problem ins richtige Licht. Es geht nicht um die Vermeidung von Fremdwörtern, sondern um die Bewältigung von Schwierigkeiten der Kommunikation. Es geht darum, daß bewußtes oder unbewußtes Sprachprestige abgebaut wird, wo es auf Verständlichkeit und Verständigung ankommt. Nicht Puristen sind also gefragt, sondern geschickte sprachliche Vermittler sachlicher Probleme.

## Werbesprache

Als Beispiel dafür, daß ein Fremdwort die Bedeutung des Vertrauten annehmen kann, hätte – mit nur geringfügigen Einschränkungen – auch *Reklame* angeführt werden können. Wenn junge Leute ›etwas aufziehen‹, dann machen sie Reklame dafür; und auch im übrigen paßt das Wort besser in die übersichtliche und schon ein wenig altertümliche Welt der Jahrmärkte oder der Litfaßsäulen als in die unübersehbare der jetzigen Massenmedien. Hier ist eher das Wort *Werbung* am Platze – bei dem fast niemand mehr an Liebeswerben denkt. Allerdings ist es auch nicht so, daß man sich mit dem deutschen Wort begnügt hätte. Sobald die Werbung größeres Ausmaß annimmt, ist mindestens von *Produktenwerbung*, von *Advertising* oder aber mit etwas weiterem Bedeutungsumfang von *Marketing* die Rede. Das Spezialgebiet des Marketing aber, also der Marktforschung und der aktiven Marktpolitik der wirtschaftlichen Unternehmen – dieses Gebiet hätte ebensogut wie das der Luftwaffe als Beispiel für die Amerikanisierung unserer Sprache angeführt werden können. Das Lexikon, das die wesentlichen Begriffe dieses Gebietes umfaßt, enthält ungefähr ebensoviel englische wie deutsche Wörter, wobei die englischen im allgemeinen in Form und Aussprache (noch?) nicht eingedeutscht sind.
Schon wenige Blicke in dieses Lexikon machen deutlich, daß wir es mit einer komplizierten Apparatur, mit vielschichtigen Techniken und Strategien zu tun haben. Dies muß deshalb gesagt werden, weil es keineswegs alle Leute wissen. Für viele ist Werbung eine undiskutierte Tatsache, die eben heute dazugehört, eine Erscheinung von naturwüchsiger Selbstverständlichkeit. Oder Werbung ist gar ein Stück Volkspoesie und Volkskunst, etwas, das aus dem Umgang mit den zum Kauf ange-

**Co-op-Werbung.** Art der →Verbundwerbung: Der Einzelhandel benützt die von den Herstellerfirmen besonders herausgestellten Markennamen für seine eigene Werbung, z. B. Trevira, Hostalen o. ä.

**Copy** ['kɔpi]. Bezeichnung für Anzeigentext.

**Copy Approach** ['kɔpi ə'proutʃ]. Bezeichnung für den Aufhänger eines Werbetextes, durch den der Leser gefesselt werden soll.

**Copy Chief** ['kɔpi tʃi:f]. Berufsbezeichnung, soviel wie Cheftexter.

**Copy Deadline** ['kɔpi 'dedlain]. Bezeichnung für Redaktionsschluß.

**Copy Department** ['kɔpi di'pa:rtmənt]. Bezeichnung für die Textabteilung in der Werbeagentur.

**Copy Platform** [kɔpi 'plætfɔ:rm]. Bezeichnung für die Gestaltungsgrundlage, das Fundament für eine Textaussage.

**Copy Print** ['kɔpi print]. Bezeichnung für die Reproduktion einer Fotografie oder einer Zeichnung.

**Copy Research** ['kɔpi ri'sə:rtʃ]. Bezeichnung für Textanalyse.

**Copyright** ['kɔpirait]. Nordamerikanisches Urheber- und Verlagsrecht. Zur Erlangung des Schutzes gegen Nachdruck in den USA muß das zu schützende Werk (Bücher, Karten etc.) das Zeichen ©, Namen und Firma des Verlegers und das Jahr der Erstveröffentlichung enthalten. Die Schutzfrist beträgt 28 Jahre und kann um weitere 28 Jahre verlängert werden. Wird das Urheberrecht trotz Copyright verletzt, so wird das geschützte Werk beim Copyright Office, Library of Congress, Washington, angemeldet, worauf alle amerikanischen Gerichte Rechtsschutz leisten müssen.

**Copy Test** ['kɔpi test]. Testverfahren, bei dem an Hand der gelesenen Zeitschrift oder Zeitung usw. festgestellt wird, was der Befragte an Aufsätzen, Bildern, Anzeigen usw. gesehen, gelesen, wiedererkannt oder behalten hat. Siehe auch Recall Test, Impact-Test.

**Copywriter** ['kɔpiraitər]. Bezeichnung für Werbetexter.

**Corner Card** ['kɔ:rnər ka:rd]. Bezeichnung für den Firmeneindruck auf dem Briefumschlag links unten.

**Cost Per Thousand** [kɔst pər θauzənd]. Bezeichnung für Tausenderpreis.

**Counter Card** ['kauntər ka:rd]. Bezeichnung für Aufsteller auf der Theke, im Schaufenster und Regal etc. mit Benennung und Preis des Produkts.

**Counter Dispenser** ['kauntər dis'pensər] oder Counter Display Container, Bezeichnung für stummen Verkäufer auf der Theke.

**Counter Display** ['kauntər dis'plei]. Bezeichnung für Thekenaufsteller.

**Counter Display Container** ['kauntər dis'plei kən'teinər] →Counter Dispenser.

**Counter Display Piece** ['kauntər dis'plei pi:s]. Andere Bezeichnung für Thekenaufsteller.

**Counter Publicity** ['kauntər pʌb'lisiti]. Bezeichnung für Abwehrwerbung.

**Coupon-Test.** Verfahren, um die Wirkung von Werbemitteln zu testen. Die Interessenten sollen einen im Werbemittel enthaltenen Coupon (Kupon) ausfüllen und einsenden. Wer dies tut, zeigt ein gewisses Interesse für die botenen Dingen irgendwie hervorwächst, ein Arsenal mehr oder weniger lustiger sprachlicher Erfindungen, die dem Hersteller zu seinem Produkt eingefallen sind. In Wirklichkeit handelt es sich um eine eigene Industrie von riesigen Dimensionen. Das Bild und die paar Worte, die uns in einer Anzeige oder in einem Fernsehspot so harmlos-selbstverständlich entgegentreten, sind fast immer das Ergebnis einer umständlichen Kampagne, an der eine ganze Reihe von Spezialisten beteiligt ist: der *Creative Director*, der über die Werbegestaltung letztlich entscheidet, der *Kontakter*, der zwischen der Werbeagentur und dem Auftraggeber vermittelt, der *Art Director*, der die künstlerische, und der *Texter*, der die sprachliche Gestaltung leitet, der *FFF-Producer*, der Spezialist für die Werbung in Film, Funk und Fernsehen, *Researcher* und *Marketing Man*, welche die Aufgabe haben, den Markt zu erkunden, der *Media Planer*, der die *Streuung*, die Auswahl und Belegung der verschiedenen Medien in die Hand nimmt, und schließlich der *Trafficer*, der den innerbetrieblichen Ablauf organisiert, der also die Zusammenarbeit der verschiedenen Abteilungen und die Einhaltung des Terminplans kontrolliert.

Was Tag für Tag auf uns einredet aus Lautsprechern, aus Annoncen, von Litfaßsäulen, was Abend für Abend mit der Maske der Selbstverständlichkeit an uns vorbeizieht — all das ist berechnet, geplant, erfunden. Was als die Äußerung zufriedener, meist namenloser Konsumenten präsentiert wird — das ist in Wirklichkeit das Ergebnis des Kalküls von Leuten, welche die angepriesenen Gegenstände vorher weder kannten noch benötigten, von Managern künstlicher Sehnsüchte, die in großen Agenturen gemeinsam ihre Feldzüge ausarbeiten. Es wäre leicht, hier die Traumkulisse der täglichen Werbung aufzurichten und in ihren Einzelheiten zu beschreiben. Aber hier geht es zunächst und in erster Linie um einen Blick hinter diese Kulissen. Wenigstens andeutungsweise soll der weite Weg vom Werbeauftrag des Herstellers bis zur schließlichen Werbung in den üblichen Medien an einem Beispiel skizziert werden; die dabei auftauchenden Fachausdrücke und Fremdwörter sind nicht von mir hineingeschmuggelt, sondern samt und sonders original.

Es fängt an mit dem *Briefing*, der Auftragsbesprechung, an der die ganze *Produktgruppe* beteiligt ist. Die Lage wird dargestellt und erörtert: Für ein Marken-Keimöl soll eine *Kampagne* gestartet werden mit dem Ziel der Marktausweitung; die Auseinandersetzung muß dabei vor allem mit *Off-brands* erfolgen, mit Produkten ohne Markennamen, die dank *Billigpreisangeboten* rund 70 % des Marktes beherrschen. Das Keimöl sei, so wird in der Besprechung vorgebracht, *als Diätöl profiliert*, sei *gesundheitsorientiert*; aber offenbar ist das nicht das richtige *Profil.* Deshalb wurde das *psychologische Umfeld* erforscht; sowohl das *Produkt Image,* also die allgemeine Verbrauchervorstellung von Speiseöl, wie die *Brand Images,* also die Vorstellung über die wesentlichen Markenöle, wurden unter die Lupe genommen. Als Ergebnis wird die Marke *positioniert* zwischen *bekömmlich* und *geschmacksneutral;* beide Aspekte gehören zur Struktur des Markenprofils, wobei der Geschmacksneutralität der Vorzug gegeben wird.

Nachdem so die Marktfachleute und der Psychologe berichtet haben, resümiert der *Trafficer: »Neue Verwender für X, Profilierung des Produktangebotes, Schaffung eines neuen Produkt Images, und zwar durch Verjüngung der Marke. Das werbliche Angebot würde aussehen: X ist im Geschmack neutrales Keimöl. Die Begründung — warum: es ist rein und unvermischt und es ist direkt aus Pflanzenkeimen, sprich aus Mais, gewonnen. Der Vorteil für den Konsumenten ist es, daß es ein ideales Öl für die feine Küche ist.«* Einer der Mitarbeiter unterbricht: *»Sie sagten gerade Mais. Wollen wir Mais wirklich —?« — »Okay, gut, vielen Dank für die Frage! Mais, bitte, ist tabu, meine Herren. Wir wissen: nach dem Krieg — Mais Ersatzprodukt, und deswegen sollten wir in die Story Mais nie aufnehmen. Wir sprechen von Pflanzenkeimen, denn es würde viel viel Geld bedeuten, eine neue Mais-Story aufzubauen. O'ay. — Wir würden also münden in der zentralen werblichen Botschaft — wie wir das machen, das muß Ihnen noch einfallen! — X ist ein geschmacksneutrales Öl für die feine Küche. Das ist eigentlich der Punkt, auf den wir setzen wollen, und ich glaube, in dieser Ecke ist ein neues Positioning zu erreichen.«*

An diesen wörtlich nach einer Aufzeichnung zitierten Bemerkungen kann Wesentliches abgelesen werden: Vom Gegenstand selbst, von der Ware, ist herzlich wenig die Rede. Es geht in erster Linie um die Erwartungen des Verbrauchers, um seine Vorstellung von der betreffenden Marke und die Möglichkeiten der Korrektur dieser Vorstellung. Das ist die Frage des *Profils* der Marke, die Frage des *Positioning,* der Ansiedlung der Werbung in einem ganz bestimmten Zusammenhang. Das Gespräch macht aber auch deutlich, daß nicht nur Dinge, sondern auch Wörter ein Profil haben. Das Wort *Mais* ist nicht tragbar; zu viel hängt daran noch aus der Not der Nachkriegszeit. Zwar wäre es grundsätzlich möglich, die negativen Vorstellungsinhalte durch eine umfangreiche ›Geschichte‹, durch eine Kampagne abzubauen, aber das wäre zu umständlich und zu teuer. Also wird ein schöner Tarnname verwendet: *Pflanzenkeime.* Die Überlegungen münden in eine vorläufige Fassung der *werblichen Botschaft.* Das ist ein merkwürdiger Begriff. Vordergründig handelt es sich dabei um die direkte Übersetzung des englischen *message,* das neben Botschaft auch

einfach Nachricht, Aussage bedeutet. Aber der überhöhte Begriff *Botschaft* ist nicht zufällig. Er enthält mehr als nur sachliche Information, er zielt auf Mängel und Sehnsüchte, die nur durch eine höhere Offenbarung ausgeglichen werden können.
Die nun folgenden Erhebungen, Planungen und Beratungen der Produktgruppe gelten der Frage, wo und wie die Botschaft verkündet werden soll. Vor allem geht es um die *Media-Strategie*, also die Festlegung der hauptsächlichen Werbeträger. Die Entscheidung fällt einmal zugunsten von *TV*, also der Fernsehwerbung, die breite Verbraucherschichten erreicht, zum anderen zugunsten von Zeitschriften, mit denen eine höhere *Zielgruppenadäquanz* erreicht, also jeweils eine bestimmte Zielgruppe angesprochen werden kann. Darüber hinaus soll aber auch am *Point of Sale* – also an dem Ort, an dem das Produkt verkauft wird – geworben werden, und dazu gibt es, vom *Regalstopper* bis zum *Counter Display*, dem Thekenaufsteller, viele Mittel.
Ehe die Botschaft umgesetzt wird in wirksame Texte und Bilder, wird noch einmal bei den Verbrauchern nachgestoßen. Hausfrauen werden zu einem *Round-table-Gespräch*, einer Unterhaltung am runden Tisch gebeten und nach ihren Forderungen an ein gutes Öl gefragt. Dabei zeigt sich, wie gut inzwischen schon das Zusammenspiel zwischen Werbung und Verbrauchern klappt: die Befragten geben vielfach nur die Schlagwörter zurück, die ihnen von der Werbung serviert wurden. Die meisten Frauen schwenken auf die Linie ein, die von den Werbern schon vorgezeichnet ist: das Öl muß, wie eine der Frauen sagt, »möglichst geschmacklos« sein. Der Ausdruck *geschmacklos* allerdings kann in die Botschaft nicht aufgenommen werden; Werbung muß stets mit Assoziationen rechnen, und *geschmacklos* kann eben auch das negative Gegenstück von geschmackvoll sein.
Aber auch *geschmacksneutral* gefällt dem Texter nicht; er findet es »formal nicht so gut«. Er probiert alle möglichen Textvarianten durch, einige landen im Papierkorb, andere werden in die Kampagne eingebaut: »Gesundes Öl, das nicht nach Öl schmeckt«, oder: »X hat jetzt eine neue Flasche und ein neues Etikett, aber noch immer keinen Ölgeschmack«. Die neue Flasche und das neue Etikett sind nicht unwesentlich. Dies gehört zur *Verjüngung der Marke* – und das heißt auf der anderen Seite: man *betreibt Produktenüberalterung*, das Alte wird außer Kurs gesetzt, wird *psychologisch schrottreif* gemacht. Zwar hat sich nur die Verpackung geändert; aber bei der Werbung geht es grundsätzlich nicht um das Produkt, sondern um die Verpackung, nicht um den Gebrauchswert, sondern – so hat es Wolfgang Fritz Haug in seiner Analyse ausgedrückt – um den »Schein des Gebrauchswerts«. In den Lehrbüchern der Werbung

(und davon gibt es viele!) liest sich das so: »Verkaufe die Wirkung!« – »Die Leute kaufen grundsätzlich eine Vorstellung«. – »Die Schönheitsmittelfabrikanten verkaufen nicht Lanolin, sondern eine Hoffnung«. – »Die Frauen kaufen ein Versprechen«. – Schließlich: »Nicht die objektive Beschaffenheit einer Ware ist die Realität, sondern die mehrheitlich subjektive Verbrauchervorstellung«. Im Klartext heißt dieses Credo der Werbung *Betrug* – freilich Betrug mit dem Einverständnis der Betroffenen.
Die Kampagne, von der hier die Rede war, ist nichts Außergewöhnliches. Die Größenordnung der *Werbeetats* macht die Größenordnung solcher Kampagnen erklärlich. Für Coca-Cola-Werbung werden in der BRD jährlich etwa 7 Millionen DM ausgegeben, für die Werbung der Lufthansa bei ungefähr 4 Millionen Passagieren rund 6 Millionen. Eine halbe Minute FS-Werbung kostet beim WDR etwa 14 000 DM, eine halbe Minute Funkwerbung bei den hessischen Sendern fast 3 000 DM. Eine Werbeseite in »Hör zu« kommt auf 55 000, im »Stern« auf 30 000, in »Schöner wohnen« auf 12 000 und im »Wochenend« immerhin noch auf ca. 10 000 DM. Solche Daten machen es verständlich, daß Arten und Wege der Werbung genau kalkuliert werden und daß Werbung und Marketing zum wissenschaftlichen Operationsfeld geworden sind. Es gibt umfangreiche *Analysen* der Vorstellungen und Wünsche bestimmter Käufergruppen, zum Beispiel die Untersuchung »Konjunktur im jungen Markt«, die 1967 aufgrund der Befragung von 986 Jugendlichen zwischen 14 und 24 Jahren herausgebracht wurde. Es gibt ausgeklügelte Statistiken, in denen leitbildhafte Vorstellungen herausgearbeitet und bestimmten Merkmalsgruppen zugeordnet werden, so etwa die Grundlagenstudie »Die sympathische moderne Frau«, die das Ergebnis von 4653 Interviews zusammenfaßt. Und es gibt in allen größeren Branchen eine sorgfältige Marktbeobachtung und laufende Absatzberichte; – wenn beispielsweise seit einigen Jahren in der Spirituosenwerbung das Bild von den »harten Männern« zurücktritt, dann vor allem deshalb, weil der Branchenbericht »Alkoholische Getränke« der Anzeigen-Marketing Axel Springer & Sohn im Dezember 1967 registrierte, daß »immer mehr Frauen immer häufiger einen kurzen Klaren kippen«.
Dieses letzte Beispiel, das in Wirklichkeit auf einen der zahlreichen Anpassungs- und Umstellungsvorgänge innerhalb eines schon erschlossenen Marktes hinweist, scheint auf den ersten Blick die optimistische These zu unterstützen, daß Werbung nur eine *Orientierungshilfe* in der verwirrenden Fülle des Angebots darstellt, daß sich aber im wesentlichen die produktionsbestimmende Nachfrage durch all die aufwendigen Mätzchen nicht beeinflussen lasse: »Lieschen Müller läßt sich nicht

verführen«, wie es in einem Buchtitel heißt; der einzelne deckt nur seine wirklichen Bedürfnisse, und er läßt sich schon deshalb nicht von den Massenmedien überreden, weil er sich in allen wichtigen Fragen an seiner engeren Bezugsgruppe orientiert. Aber mit den *Bedürfnissen* liegt es nicht so einfach. Es ist hoffnungslos, einen Satz »echter« oder »natürlicher« Bedürfnisse herausheben zu wollen und dann alles andere als unlautere Konsumjagd zu charakterisieren, denn die Bedürfnisstruktur verändert sich. Es ist aber auch ganz und gar verfehlt, jede kuriose Äußerung der Konsumwut als sinnvolles Bedürfnis zu interpretieren. Auch Wünsche werden ja doch produziert, gerade daran ist die Werbeindustrie unablässig tätig, und sie unterliegt darin ebenso wie jeder einzelne dem Zwang zu stetiger Ausweitung der Produktion, der im wirtschaftlichen System angelegt ist.
Was die Beeinflußbarkeit durch die Massenmedien anlangt, so kennt diese sicherlich Grenzen, und es gibt einige gute Gründe für die Theorie des sogenannten Two-step flow (= Zweistufenfluß der Kommunikation), nach der die von Massenmedien ausgehenden Anregungen meistens nicht direkt, sondern höchstens über Mittelsmänner, über ›Meinungsführer‹ aus der eigenen Gruppe oder doch der engeren Umgebung aufgenommen werden. Aber erstens verzögert das höchstens die Wirkung, zweitens unterliegen zumindest die Meinungsführer der *direkten* Beeinflussung, und drittens hat die Werbung ein Mittel entwickelt, mit dem sie diese Zweistufigkeit zu überspringen sucht: die Texte und Bilder werden in vieler Hinsicht *familiarisiert*. Die angepriesene Ware erscheint häufig im Umkreis einer kleinen Familie, in irgendeiner Beziehung zu einer Spielgruppe von Kindern oder Jugendlichen, in einer Welt des engen Kontakts und der freundlichen Nachbarschaft. Zum Teil hängt das natürlich damit zusammen, daß die Ware in diesem Rahmen ihre Hauptfunktion hat. Aber nur zum Teil. Joachim Stave beschreibt in einer kleinen Abhandlung zu einem Werbetext aus Wolfsburg, wie »sich in der Werbung das Familienglück von heute« darstellt: »Sie sind zu viert: Das junge Ehepaar, das Kind, der Wagen. Auch der Wagen gehört dazu; die Gedanken seines Besitzers umkreisen ihn ebenso zärtlich wie das Kind.« Und was hier vom VW gesagt ist, gilt für viele andere Produkte in der Werbung ebenso: sie werden mit einbezogen in den Kreis der Familie, oder sie gehören mindestens in die nächste, vertraute Umgebung: der Versicherungsmann *wohnt nebenan*, ist *jederzeit bereit*, und die Verkäufer empfehlen sich als *Ihr xy-Händler* oder gar, noch näher, als *Dein Kaufmann*.
Manchmal wird selbst dieser intime soziale Rahmen noch durchstoßen; Werbung spricht dann aus dem Inneren des Kon-

sumenten, der Ausrufe wie *oh* und *ah* oder andere wenig artikulierte Laute der Zufriedenheit von sich gibt, der *ohne Reue* bleibt, weil er die richtige Marke raucht, oder der sein *Gewissen* spürt, weil er das falsche Waschmittel verwendet hat. Aber auch dieses Gewissen ist bezogen auf die anderen, und zwar wiederum auf die kleine Gruppe unmittelbar in der Nähe. Hier wird deutlich, daß die Familie, die Nachbarschaft und die anderen intimeren Bezugsgruppen nicht nur ausgesucht werden, weil sie freundliche Bilder ermöglichen, sondern auch, weil über sie der Konformitätsdruck am sichersten dargestellt und vermittelt werden kann.

Klaus Horn hat am Beispiel des *Krawattenmuffels* wesentliche Mechanismen der Werbung gezeigt. Solche von der Werbung erfundenen Figuren und Typen passen ins Konzept der Familiarisierung: mit *Schlaumeier*, der in der *Zwischensaison* (auch dieses Wort ist eine Erfindung der Werber) reist, kann man sich identifizieren, und der Krawattenmuffel ist eine Figur, von der man sich auf alle Fälle absetzen muß. Die Figur ist aber ständig bedrohlich anwesend, und Situationen vor allem im Kreis der Familie stellen exemplarisch dar, wie der Nicht-Angepaßte vor Blamagen bewahrt wird, indem man ihn rechtzeitig zur Anpassung – in diesem Fall: zum häufigen Wechsel der Krawatte – bringt. Noch deutlicher wird der ›familiäre‹ Zwang in einer anderen von Horn angeführten Radiowerbung. Eine Gruppe spielender Kinder, ein Kind kommt hinzu: »Kann ich bei euch mitmachen?« »Ja, aber erst eine Frage. Ich trinke Kaba. Was trinkst du?« Die Zugehörigkeit zur Gruppe der Spielenden wird in der Werbekampagne also abhängig gemacht vom Konsum einer bestimmten Ware.

Damit sind wir mitten in der Frage, *wie* Werbung ihre Opfer anspricht – und dies ist nicht zuletzt auch eine Frage nach den sprachlichen Mitteln. Eine einzige kleine Seite von Anzeigen aus der Frühzeit der Zeitungswerbung zeigt, daß bestimmte Stilmittel nicht neu sind. Auf verschiedene Art wird gesteigert bis zum nicht mehr Überbietbaren: *größte Wohltat, extrafein, herrlichste Erfrischung, wirksamste Bespülung, unentbehrlich zum Wohlbefinden jedes Menschen, erstaunlich einfach, das beste.* Berufung auf vernünftige Argumente kündigt sich an: *das anerkannt beste, rationelle Pflege.* Aber auch das klangvolle Wort fehlt nicht: *angenehmes Aroma,* und die letzte der Anzeigen bietet ein Wortspiel – *O, welche Wonne ist solch' Wanne* – und eine Dialogszene, welche die Werbung lebendig macht und die Ware scheinbar objektiv im Gebrauch und in der Wirkung zeigt.

Die zahllosen Steigerungsformen und sonstigen Superlative der heutigen Werbung setzen also nur fort, was hier angelegt ist. Sie sind jedoch bei weitem phantastischer geworden, die

**Mundwasser-Erwärmer „Calydor“**
D. R.-G.-M. 136090
grösste Wohlthat auf der Reise und zu Hause.

**Mittels Kerzenlicht**
binnen weniger Minuten warmes, sauberes Wasser zum Mundausspülen, Putzen der Zähne, Rasieren etc. Keine Wartung, keine Gefahr, kein Versagen.

**Elegante Casette**
enthaltend **„Calydor“** in **reinem, echten Nickel,** Schraubleuchter, Kerze, sowie eine Flasche **extrafeine**
**Mundwasser-Essenz.**
Postfrei zu beziehen geg. Einsendung von M. 5.--, od. Nachnahme v. M. 5.35 (Ausland tarifmässiger Portozuschlag) (ohne Casette 90 Pf. billiger, ohne Mundwasser-Essenz 60 Pf. billig.) v. den Fabrikant.
**Ed. Müller & Co., Leipzig-Gohlis 21.**

**Nasen=Douche** D. R.-G.-M. 134776 **„Frisch u. Frei“ aus Porzellan.**

**Athme frei!**

Herrlichste Erfrischung, wirksamste Bespülung der Nasenwände bei leichtem Zurücklegen des Kopfes.

**Schnarche nicht!**

Unentbehrl. zum Wohlbefind. für jeden Menschen. Erstaunlich einfache, bequeme Anwendung.

Postfrei für nur 1 Mark (Ausland tarifmäss. Portozuschlag) zu beziehen von den Fabrikanten
**Ed. Müller & Co., Leipzig-Gohlis 21.**

**„Pedol“ ist das anerkannt beste Präparat** zur Fusspflege und **besonders allen Schweissfussleidenden unentbehrlich.**
Es beseitigt den hässlichen Geruch der Füsse u. verleiht ihnen angenehmes Aroma, schützt vor Erkältung und kräftigt die Füsse. Bequeme Anwendung, indem man d. Strumpfspitzen mit verdünntem „Pedol“ tränkt oder dasselbe als Zusatz zu Fussbädern giebt. Originalflasche f. M. 2.—, Probeflasche, monatelang reichend, 60 Pf. (Ausland tarifmässiger Portozuschlag), postfrei zu beziehen von den Fabrikanten **Ed. Müller & Co., Leipzig-Gohlis 21.**

**Wellen-Fussbad-Wanne**
m. schwingend. Fussrast.
D.R.G.M 107 195
Das beste zur rationell. Fusspflege. Befördert das allgemeine Wohlbefinden.

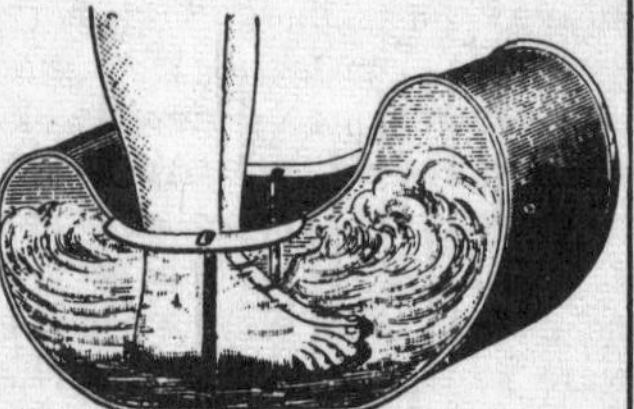

**Hausfrau:** „Nun, liebes Männch., was sagst du dazu?“ **Hausherr:** „Einfach grossartig! O, welche Wonne ist solch. Wanne“. Post fr. für M. 8.75 (Ausl. tarifmäs. Portozuschlag) v. d. Fabrikanten
**Ed. Müller & Co. Leipzig-Gohlis 21.**

Palette reicht vom *strahlendsten Weiß* bis zur *Riesenwaschkraft,* von *atmungsfreudig* bis *pflegeleicht,* von *allgäufrisch* bis *voll-*

*hygienisch* — Ruth Römer hat in ihrer Untersuchung zahllose Beispiele zusammengetragen und nach der Art der sprachlichen Bildung eingeteilt. Gerade solche neugebildeten Vokabeln werden meist als Hauptkennzeichen der Werbesprache angesehen; sie werden von ganz wenigen als Ausdruck sprachschöpferischer Fähigkeit gelobt, von vielen als üble Verballhornung der Sprache kritisiert. Zur Beurteilung muß man sich wohl erst einmal vergegenwärtigen, daß die Vielzahl konkurrierender Waren auch von der Werbung eine Vielzahl unterschiedlicher Angebote fordert. Das Problem stellt sich bereits bei der *Benennung* der Ware. Leo Weisgerber erwähnt, daß es in Deutschland schon im Jahre 1930 über 400 000 »Wortmarken« gab, also Wörter, die als eingetragene Markenbezeichnungen dienten. Über den Gesamtbestand an Wörtern des Neuhochdeutschen streiten sich die Gelehrten; aber er dürfte um jene Zeit ebenfalls ungefähr bei 400 000 gelegen haben. Das heißt: es war völlig unmöglich, daß die Waren alle mit schon existierenden Wörtern benannt wurden, und tatsächlich sind Bezeichnungen wie *Adler, Greif, Triumph* eher Ausnahme als Regel. Die meisten Bezeichnungen wurden neu geschaffen — willkürlich, aber doch nach bestimmten, sich rasch herauskristallisierenden Regeln der Wortbildung: ein Erfrischungsgetränk, das mit einem Namen wie *Lysatol* auf den Markt gebracht würde, wäre schon dadurch erledigt, weil ein so gebildetes Wort von vornherein an Medikamente oder Reinigungsmittel denken läßt, jedenfalls an viel zuviel Chemie.
Die Werbung steht zwar insofern unter etwas anderen Bedingungen, als sie entschiedener als die Warenbezeichnungen am Vertrauten und Verständlichen anknüpfen muß. Aber ein gewisser Zwang zu Neubildungen war auch hier gegeben, und die ›Verständlichkeit‹ der Werbewörter ist von besonderer Art. Schon im Zusammenhang mit der Fachsprache und nun wieder in Verbindung mit den Warenbezeichnungen war von der ungeheuren *Erweiterung des Wortschatzes* die Rede. Sie hatte zur Folge, daß das Verhältnis des aktiven Sprachschatzes zum passiven immer ungünstiger wurde: wir ›verstehen‹ viel mehr Wörter, als wir gebrauchen. Auch die Werbevokabeln gehören im allgemeinen nicht zum aktiven Sprachschatz; die Fälle, in denen ein Werbeslogan in Kinderreime u. ä. aufgenommen wird, sind Ausnahme. Die Welt unseres nur passiven Sprachbesitzes ist aber zwangsläufig wenig geordnet, bruchstückhaft, fragmentiert. Gerade diese *Fragmentierung* macht sich die Sprache der Werbung zunutze. Die Wörter erscheinen in ihr weniger als Informationsträger; es sind Elemente direkter Steuerung, die meist nicht aufs Rationale zielen. Ein paar fröhliche Stimmen singen im Hintergrund: »Guten Morgen — guten Morgen — guten Morgen.« Der Sprecher: »Ja, das muß ein gu-

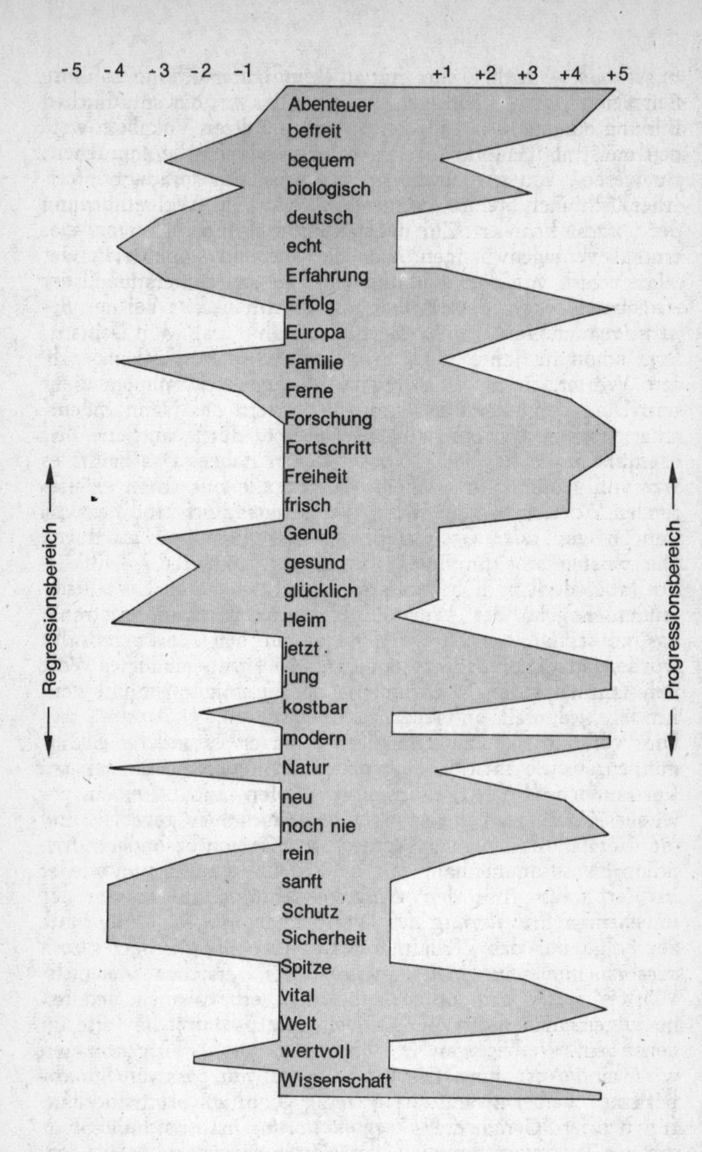
-5
-4
-3
-2
-1
+1
+2
+3
+4
+5
Abenteuer
befreit
bequem
biologisch
deutsch
echt
Erfahrung
Erfolg
Europa
Familie
Ferne
Forschung
Fortschritt
Freiheit
frisch
Genuß
gesund
glücklich
Heim
jetzt
jung
kostbar
modern
Natur
neu
noch nie
rein
sanft
Schutz
Sicherheit
Spitze
vital
Welt
wertvoll
Wissenschaft
Regressionsbereich
Progressionsbereich

ter Morgen werden, wenn Frühstücksmargarine auf dem Tisch stand, und — ein guter Tag.« Das ist, vernünftig betrachtet, eine entsetzlich dumme Behauptung. Aber sie wirkt über die Vermittlung positiver Signale, die mit dem Namen der Margarine verbunden werden. Außerdem kommt solchen Behauptungen die große Streubreite unserer Umgangssprache entgegen: *Glück* zum Beispiel ist ein ungemein feierlicher und ›tiefer‹ Ausdruck — deshalb verwendet ihn die Werbung so oft; aber wir sagen schon, wir haben Glück, wenn wir an der Ampel Grün erwischen — deshalb kann auch die Werbung das Wort in banale Zusammenhänge stellen.

Hier kommt noch etwas anderes ins Blickfeld. Die Appelle der Werbung, an sich auf oberflächliche Verhaltensweisen — kaufen oder nicht kaufen — gerichtet, zielen stets tiefer, visieren gewissermaßen menschliche »Grundbefindlichkeiten« an. Die Liste auf Seite 114 führt Wörter an, die in den Werbesprüchen und -texten immer wieder vorkommen; sie ist zum großen Teil nach den von Ruth Römer gesammelten Schlüsselwörtern, zum Teil auch aufgrund eigener Beobachtungen und Zählungen zusammengestellt.

Das hier herausgestellte Profil ist, das muß betont werden, eine spielerische Vereinfachung; die Zweiteilung in Wörter eher »regressiven« und solche eher »progressiven« Gehalts ist sehr problematisch. Aber sie vermag vielleicht doch zu zeigen, daß viele Leitwörter der Werbesprache auf Gefühle zielen, die verbunden sind mit Angst und Sicherheitsstreben, wozu auch das Zurücksinken in eine ungefährdete Welt des Genießens gehört, während viele andere nach vorn gerichtet sind, auf Befreiung, Ausschreiten ins Neue, Unbekannte, Leistung und Erfolg.

Schon bei dieser Erklärung wird freilich deutlich, daß zwischen den Gruppen ein enger Zusammenhang besteht. Dies bestätigt sich, wenn man statt der Leitwörter die Werbetexte selbst betrachtet. Zwar gibt es Waren, die eindeutig in den einen oder anderen Bereich gehören: Hausschuhe zum Beispiel werden mit Regressionswörtern, Reisen überwiegend mit Progressionswörtern angepriesen. Aber schon hier erfolgt oft ein Übergriff. *Komfort, Luxus, Sicherheit* — das sind Qualitäten, die auch bei Reiseangeboten eine Rolle spielen; und Wendungen wie *die sanfte Revolution* oder *die flüsternde Revolution*, die neuerdings in Werbetexten auftauchten, sind durchaus bezeichnend. Es zeigt sich, daß gerade die Dialektik, das Hin und Her zwischen den beiden Sphären charakteristisch ist. Das hängt teilweise mit der Tendenz zusammen, für jeden etwas anzubieten: deshalb ist in der touristischen Werbung für die gleichen Orte von *moderner, internationaler Welt* und von *verträumtem Lokalkolorit* und *beschaulicher Ruhe* die Rede; deshalb wird für das gleiche Gerät mit dem Hinweis auf technischen Fortschritt und

Das Neue erleben. Das Neue genießen.
Bringt Lebe
Bleiben Sie vital und tatenfroh!
Die junge Schokolade
neu
phantastisch!
Ja!
Heißer Tip
Die Zeit der „alten Tanten" ist vorbei.
erfrischend belebend
mit aufregender Frische
Energiequelle
Der Longdrink der großen Welt!
gewissen Extra.
Welt des Fortschritts –
Revolution der Tester
die mobil macht
den Kreislauf jung!
Sie spüren es am Frischeschock.
Mehr erleben.
Das vitale, stets junge
beispiele wie noch nie,
Schwung!
Fortschrittlich wie unsere Zeit –

gibt 3-fachen
Schutz
Herrlich unempfindlich.
Chic und modern.
Bequem.
Modisch, aber nicht „fein".
Geheimsprache
zwischen
vier Augen
Laß Romantik in
Dein Leben.
Erholungszentrum
zu Hause.
Das ist
Garantie
»DIE NEUE
ROMANTIK«
sten Sie sich
das Echte.
Wir sind altmodisch.
Anschmiegsame
Die Kraft
und die Sicherheit.
weich
sanft.
Jede.
Ein wertvolles
mild
Die sicherste Art,
Sauber fäh
schenkt ein wirklich gutes Gewissen
Es let
der echte
aus
Genießen Sie
das milde Feuer
Vorsicht, Waidmann.
nisky ist so milde, daß
ele Prozente er hat
Natür
natürlich
mit Komfort:
deutsche

auf das ehrwürdige Alter der Firma geworben; deshalb werden Begriffe wie *Tradition* und *einmalig* verkuppelt. Aber dieses Prinzip findet seine Erklärung keineswegs nur in der Existenz verschiedener Zielgruppen der Werbung. Es deutet vielmehr Zusammenhänge an wie die von Angst und Leistung, Sicherheit und Erfolg – Zusammenhänge, die für jeden einzelnen maßgebend sind.

Sieht man die Werbesprache als Mittel, das die heute *allgemeinsten* Wünsche, Ängste, Sehnsüchte in den Menschen anspricht und sie eben dadurch zu etwas sehr *Speziellem*, nämlich dem Kauf eines bestimmten Produktes bringt – dann bekommt die neuerdings immer häufiger festgestellte Parallelität von Produktenwerbung und *politischer Werbung* ihr eigenes Gewicht. Es hat den Anschein, daß auch in der Wahlpropaganda immer mehr höchst allgemeine Appelle das Bild bestimmen. Die erfolgreicheren gehören hierzulande überwiegend in die Regressionssphäre; es ist kaum mehr umstritten, daß der Slogan »Keine Experimente« eine Wahl entschied – eine amerikanische Zeitung stellte damals ironisch fest, die Deutschen hätten im Grunde den Weihnachtsmann (also die ängstliche Sicherung des Wohlstandes) gewählt. Die Amerikaner haben einen Blick dafür – dort liegt der Ursprung der Parallelität und auch eines hier bisher noch nicht bekannten Ineinanders von Werbung und politischer Propaganda. Vor 20 Jahren wurde Richard Nixon als eine neue Art des Politikers beschrieben, weil er wie ein Werbefachmann an seine Arbeit herangehe; er verkaufe politische Dinge der Öffentlichkeit als Waren – je nach Marktlage. Bald darauf ist Nixon Präsident geworden. Es wäre sicher falsch zu sagen: *trotzdem* ist er Präsident geworden. Die Mentalität des Marketing und mit ihr die Werbesprache hat inzwischen nicht nur den kleinen Kaufladen an der Ecke erreicht; sie prägt auch einen wesentlichen Teil der großen Politik.

## Sprache als Gruppenabzeichen

Der Begriff *Gruppensprache* wird in der Sprachwissenschaft oft gebraucht, aber wohl ebensooft verworfen. Es ist ein sehr relativer Begriff – und zwar sowohl hinsichtlich der Gruppe wie hinsichtlich der Sprache. Mit Gruppe kann in der Soziologie jede Vereinigung von Individuen verstanden werden, die durch Interessen und Beziehungen miteinander verbunden sind, und jedes Individuum gehört vielen Gruppen an. Rede ich also immer in – ständig wechselnden – Gruppensprachen, oder sollte dieser Begriff, wie auch der entsprechende Begriff »Sozialdialekt«, nur dort verwendet werden, wo sich in verhältnismäßig geschlossenen Gruppierungen von längerer Dauer eine Vielzahl sprachlicher Besonderheiten herausbildet? Aber diese sprachlichen Besonderheiten entstehen zunächst sehr oft aus der Sache heraus, nicht aus der Abschließung der Gruppe – dies ist an Beispielen der beruflichen Fachsprachen, aber auch der Sportsprache deutlich geworden. Gruppensprachen sind das im Grunde nicht. Sie sind aber *für* einzelne Gruppen und *in* einzelnen Gruppen charakteristisch, und sie tragen zur Herausbildung und Verfestigung der Gruppe bei. Davon soll hier die Rede sein: von der Gruppierungsfunktion, die grundsätzlich zur Sprache gehört (schon der flüchtigste Dialog schafft gewissermaßen eine kleine Gruppe), die aber in bestimmten Bereichen besonders hervortritt – Sprache als *Gruppenabzeichen.*

*Abzeichen* sind Signale, welche eine bestimmte Zugehörigkeit – und das heißt fast immer Gruppenzugehörigkeit – ausdrücken. Abzeichen müssen nicht immer zum Anstecken sein. Es kann sich um eine bestimmte Haar- oder Barttracht handeln, um bestimmte Formen der Kleidung, um bestimmte Gesten und Gebärden – und nicht zuletzt um eine bestimmte Form der Sprache. Ich höre im Rundfunk die Übertragung einer politischen Kundgebung, höre die Stimme des Redners:

> »Der große Wandel, der sich in Deutschland vollzogen hat, wird im Ausland am sichtbarsten durch den auslandsdeutschen Volksgenossen vertreten und repräsentiert. Wir waren ja bis 1933 die Paria der Welt, das ist nun zu Ende! Und wenn die Welt sich von 1918 bis 1933 mit der allzu bequemen Tatsache abgewöhnt hatte, in Deutschland nur den Prügelknaben ihrer gegensätzlichen Interessen zu sehen, so muß die Welt heute erkennen, daß diese Tatsache nicht mehr existent ist, daß heute in den Grenzen des Reiches ein anderes Volk lebt, und daß es nur zu natürlich ist, daß der neue Geist dieses Volkes auch alle Deutschen erfüllt, ob sie nun innerhalb oder ob sie jenseits unserer deutschen Landesgrenzen leben und arbeiten und atmen. Seid gläubige Söhne und Töchter Eures Volkes und Eures Landes, haltet als Angehörige des Reiches fest am Deutschtum, der Mutter Eures Lebens und Eurer Art. Steht treu und unbeirrt trotz aller Hetze und trotz aller Verleumdung zum Führer, zum Volke und zum Reich!«

Spätestens nach ein paar Sätzen weiß ich Bescheid: es handelt sich um eine *nationalsozialistische* Propagandarede, und ich erkenne das gerade an *den* Goebbelsworten (es sind allerdings ziemlich viele), die sachlich fast nichts aussagen und die wohl nicht nur für mich als Abzeichen fungieren, sondern die auch damals vor allem Abzeichen-Funktion hatten, die Funktion, die Zusammengehörigkeit zu signalisieren – nach innen und außen: *Volksgenossen, Paria der Welt, der neue Geist, leben und arbeiten und atmen, gläubige Söhne und Töchter Eures Volkes, Mutter Eures Lebens und Eurer Art, Führer, Volk und Reich.*

Ein anderes Beispiel – *Rudi Dutschke* in einem Interview mit Günter Gaus:

> »Ich meine, das ist kein ewiges Naturgesetz, daß sich entwickelnde Bewegungen Apparate haben müssen. Es hängt von der Bewegung ab, ob sie in der Lage ist, die verschiedenen Stufen ihrer Entfaltung mit den verschiedenen Bewußtseinsstufen ihrer Bewegung zu verbinden. Genauer: wenn wir es schaffen, den Transformationsprozeß, einen langwierigen Prozeß, als Prozeß der Bewußtwerdung der an der Bewegung Beteiligten zu strukturieren, werden die bewußtseinsmäßigen Voraussetzungen geschaffen, die es verunmöglichen, daß die Eliten uns manipulieren.«

Daß hier nicht die flache Gleichung braun = rot bewiesen werden soll, braucht kaum gesagt zu werden. Es geht gerade um den Unterschied. Das ist zunächst ein Unterschied des Niveaus; im Hintergrund der Goebbels-Rede steht ein romantisierender vager Mythos, während hier die Begriffe aus der genauen Terminologie der Sozialwissenschaften abgeleitet sind. Daraus ergibt sich auch ein Unterschied im Blick auf unser Problem: Ich kann zwar auch diese Sätze sofort ›verorten‹ und der studentischen Linken zuweisen, und sicherlich orientiere ich mich dabei an einigen Leitbegriffen wie *Bewegung, Apparate, Bewußtseinsstufen, Transformationsprozeß, Bewußtwerdung, Eliten, manipulieren*. Aber eben diese Leitbegriffe sollen weder nach außen noch nach innen einfach demonstrieren, sondern sie haben argumentierenden Charakter. Dies gilt freilich nur einmal für den konkreten Zusammenhang dieses Interviews. Schaut man auf manche Erscheinungsformen der späteren Studentenbewegung, so liegt das Urteil nahe, daß zum Teil die Argumente eben doch zum *demonstrativen Abzeichen* verkommen sind – die besondere Sprache scheint hier oft sehr viel weniger den sachlichen Bedürfnissen der Auseinandersetzung mit Problemen zu genügen als vielmehr der Selbstbestätigung von Gruppen, die mit den Problemen nicht so sehr viel weiter gekommen sind.

Diese Akzentsetzung darf freilich nicht dazu führen, daß die Funktion der Selbstbestätigung – oder sagen wir allgemeiner: die sprachliche Abzeichenfunktion grundsätzlich abgewertet wird. Es kommt auf den besonderen Zusammenhang und es kommt auf die Mischung an – denn enthalten ist diese Funktion auch noch im sachlichsten Gespräch. Sprache operiert nicht nur auf einer deskriptiven, sachlichen Ebene, sondern auch auf einer kommunikativen, sozialen. Auch dort, wo ganz eindeutig die nötige sachliche Differenzierung eine eigene Sprache hervorruft, schafft diese doch zugleich soziale Differenzierungen, das heißt: sie trägt zum Zusammenhalt der Benützer dieser Sprache und zu einer gewissen Abwehr aller anderen, welche die Sprache nicht benützen, bei. Dies kann gezeigt werden am Beispiel der sogenannten *Geheimsprachen.*

Im schwäbischen Killertal verließen noch um die Jahrhundertwende rund 600 Hausierhändler jeden Herbst nach der Feldarbeit die Dörfer und zogen mit Wäscheklammern, Holzlöffeln, Peitschenstecken und anderer selbstgefertigter Ware von Ort zu Ort. Diese wandernden Händler hatten ihre eigene Sprache, die sie – mit einem nicht erklärten Ausdruck – als *Pleisnen* bezeichneten. Zwar liegt auch hier die deutsche Grammatik zugrunde; aber die eigenen Wörter und Wendungen sind so zahlreich, daß der Nicht-Eingeweihte die Sprache auch dann nicht verstehen kann, wenn die zusätzliche schwäbische Dialektfärbung beseitigt ist:

»*Was dossest?*«
»Was überlegst du?«

»*Ich hab mein Mus vernobiset. Und der schättrigen Siann kann man nicht genug stecken.*«
»Ich habe mein Geld verputzt. Und der verdorbenen Frau kann man nicht genug bezahlen.«

»*Dabei sieht man den Ähne in der Häppe.*«
»Dabei ist die Suppe ganz wäßrig.«

»*Aber der Kigelesschineber ist gewandt.*«
»Aber das Kirschwasser ist gut.«

»*Spann! der Beistieber stubt an. Er hat uns schon gespannt.*«
»Paß auf! der Knecht kommt herein. Er hat uns schon bemerkt.«

»*Der Blembelspink hat keinen Watzen.*«
»Der Wirt hat keine Ahnung.«

Die Beobachtung Stegers, daß eine Gruppe »nur in den Bereichen sprachlich aktiv wird, an denen sie als Gruppe gemeinsam handelnd beteiligt ist«, gilt auch hier. Im Sonderwortschatz der Killertäler überwiegen Ausdrücke, die sich auf die Kundschaft und auf die Ware beziehen; daneben spielen auch erotische Deckwörter – von der *häbigen Siann* (der Frau, die zu ›haben‹ ist) bis zum *kuezeligen Pink* (dem liebestollen Mann) – und Vokabeln für Speisen und Getränke – vom *Därmle* (Wurst) bis zum *Hausneibelmentum* (Kartoffelsalat), vom *Grattagautscher* (Most) bis zur *Kuahbliach* (Milch) – eine große Rolle. Aber da der wandernde Händler überhaupt kein eng umgrenztes berufliches Feld kennt, sondern immer auf dem Sprung ist, gibt es für fast alle Lebensbereiche eine ausreichende Zahl von Spezialbegriffen – ausreichend zur Tarnung und Geheimhaltung. Daß dies die wesentliche Funktion dieser Sprache ist, liegt auf der Hand.

Die Killertäler sind überzeugt davon, daß dies ihre ureigene

Geheimsprache ist. Sie haben recht insofern, als die Vokabeln dort von Generation zu Generation überliefert wurden und als das Pleisnen eine ganze Reihe von Wörtern enthält, die anderswo nicht vorkommen und die wohl spielerisch aus der Mundart entwickelt wurden. Aber andere Wörter, und darunter gerade die zentralen Begriffe, erscheinen in der gleichen oder einer verwandten Form auch in anderen deutschen Händlersprachen, und der Vergleich führt in einen sehr weiträumigen, sogar internationalen Zusammenhang, der hier wenigstens angedeutet werden soll. Wörter wie *Pink, spannen, Mus* tauchen auch anderswo auf; sie gehören zum *Rotwelsch,* dem auch das Pleisnen als ein ›Dialekt‹ unter anderen zugeordnet werden muß. Rotwelsch bedeutete schon im Mittelalter ›unverständliche Bettlersprache‹; und es blieb Sammelbegriff für die Geheimsprachen der am äußersten Rand der Gesellschaft existierenden Gruppen – später sagte man oft einfach *Gaunersprache.* Einen Teil seiner Wörter verdankt das Rotwelsch deutschen Dialekten; ein anderer, großer Teil geht aber auf das *Jiddische* und die *Zigeunersprache* zurück. Der heute allgemein geläufige Begriff *verkohlen* klingt zwar deutsch, kommt aber wahrscheinlich vom zigeunerischen *kálo* (schwarz), und das inzwischen ebenfalls gängige Wort *Pleite* hängt mit dem jiddischen *pleto* (Flucht, Entrinnen) und dadurch auch mit dem gleichbedeutenden hebräischen *pelata* zusammen. Denn sowohl das Jiddische wie das Zigeunerische bilden ihrerseits wieder abenteuerliche Mischsprachen: das Jiddische wurde aus deutschen, hebräisch-aramäischen und slawischen Bestandteilen gebildet; die Zigeunersprache geht auf Indien zurück, gliederte sich aber im Verlauf der Wanderungen armenische, persische, türkische, griechische und rumänische Bestandteile an.

Ich erwähne das, weil die weite Verbreitung dieser Sprachen und ihre Verbindung im Rotwelschen wahrscheinlich machen, daß die Geheimsprachen nicht *so* geheim waren, wie wir heute annehmen – oder vorsichtiger gesagt: daß sie zwar der Geheimhaltung von Absprachen gegenüber Außenstehenden dienten, daß sie aber darüber hinaus und vermutlich in demselben Maße die Funktion hatten, die reisenden Händler ihrer *Zusammengehörigkeit* und ihres Zusammenhalts zu versichern. Bezeichnenderweise ging die Killertaler Händlersprache auch dann noch nicht sofort unter, als der Hausierhandel zu seinem Ende gekommen war. Diese Sondersprache gewann dann einen Anstrich der Erinnerung und gehört nun in die Stammtischgespräche über die Erlebnisse von einst. In dieser speziellen Funktion setzt sich die allgemeinere »integrative« Funktion von früher fort, und *sie* ist in erster Linie gemeint, wenn von Sprache als Gruppenabzeichen die Rede ist.

Selbst dort darf noch einiges von dieser Funktion vermutet

werden, wo es zunächst einmal ganz eindeutig um das Problem der Geheimhaltung ging. Die frühesten wissenschaftlichen Bemühungen um das Rotwelsch sind in der Nachbarschaft von Rechtsprechung und Polizei lokalisiert: dort bestand ein besonderes Interesse daran, den Tarnausdrücken auf die Spur und damit den gesellschaftlichen Randgruppen auf die Schliche zu kommen. Es läßt sich nachweisen, daß man sich als Folge solcher Bespitzelung wieder auf neue geheime Ausdrücke

*Putz, Putzemann, 1) Polizist, Schutzmann, 2) Ausrede, Ausflucht.

*auf Putz arbeiten, scheinbar arbeiten, um die Polizei zu täuschen.

Daher: Putzarbeit.

*putzen, saufen.

auf einen putzen, einen andern vorschieben.

*Putzerei, Polizei.

*Putzkrone, Polizistenfrau.

*Putzmeister, Bekannter, der falsche Arbeit bescheinigt.

Putzscheere, Instrument zum Türausheben.

Q.

quabbelig, fett, dick.

*Quadratlatschen, 1) Weißkohl, 2) große Stiefel.

*Quaker, Frosch.

*Qualm, Geld.

Qualmbrösel, Tabakspfeife.

*quasseln, schwätzen, anreden.

Quatsch, dummes Gerede.

Quatschkopf, Schimpfwort.

*Quecksilber, Wasser.

Quetsch, Polizeimann.

*Quetschmaschine, Ziehharmonika.

*Quien, Hund.

*quienen, hetzen.

Quinkuffer, Abdeckerknechte.

Aus dem Wörterbuch der Gaunersprache

einigte. Was Martin Joos und John L. Fischer als »flight-pursuit mechanism« auf den sprachlichen Wandel in verschiedenen sozialen Schichten bezogen: daß nämlich die »Verfolgung« und Übernahme einer Erscheinung durch die niederen Sozialschichten die oberen zur sprachlichen »Flucht«, zur Änderung sprachlicher Merkmale veranlasse — dies läßt sich allgemeiner auch auf die hier behandelten Gruppensprachen beziehen. Aber selbst bei diesen Wandlungs- und Erneuerungsvorgängen innerhalb der rotwelschen Sprachen drängt sich die Frage auf, ob damit nicht neben der Geheimhaltung des Wortschatzes auch die ›Eigenheit‹ der Sprache als ausschließlicher Besitz der *Gruppe* verteidigt wurde.

Diese Überlegung liegt deshalb nahe, weil auch in Gruppen, bei denen kaum ein Bedarf sachlicher Differenzierung und keinerlei ›objektives‹ Interesse an Geheimhaltung besteht, die Entwicklung von sorgsam gehüteten Sondersprachen außerordentlich häufig ist. Vielfach könnte man dabei, in Anlehnung an den von Yinger eingeführten Begriff der Kontrakultur von *Kontrasprachen* reden. Sie werden getragen von Gruppen, die sich in wesentlichen Wertauffassungen und Verhaltensnormen

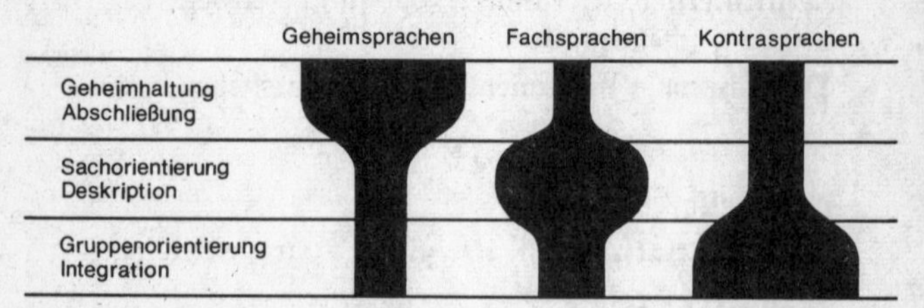


Zur Funktion der Sondersprachen

gegen die sonst allgemein in der Gesellschaft anerkannte Ordnung stellen, und sie sind gewissermaßen das Abzeichen oder eines der Abzeichen, in denen sich dieses Kontra ausdrückt. Dies gilt wohl schon von Geheimsprachen, wie sie in Schülerkreisen verbreitet sind; die sogenannte *B-Sprache* beispielsweise, in der jeder Vokal nach Einschub eines *b* wiederholt wird (*Deber Abaltebe ibist doboof* = Der Alte ist doof), ist eine so *bekannte* ›Geheimsprache‹, daß ihre Hauptfunktion wohl eher in der Formulierung jenes Kontra steckt. Noch entschiedener gilt dies für die Sondersprachen von Gruppen, die sich in ihrer gesamten Lebensweise von den herrschenden Gesetzen und Konventionen abgewandt haben. Wenn von einer regelrechten *Hippie*-Sprache kaum gesprochen wird (oder höchstens im Blick auf einige »Hasch«-Vokabeln wie *Joint, Kiff, Dealer*), dann wohl deshalb, weil hier in der Tat andere Abzeichen als

die sprachlichen vorherrschen und der eher passive Bezug zur Wirklichkeit wohl überhaupt der Herausbildung einer Sondersprache ungünstig ist. Die Sprache der *Rocker* aber stellt eine aggressive Kontrasprache dar, von der es freilich Querverbindungen zu kriminellen Geheimsprachen gibt.
*Heinz Küpper* hat in mehreren umfangreichen Bänden den Wortschatz zusammengetragen, der nicht an regionale Einzeldialekte gebunden, der aber doch deutlich unterhalb der Hochsprache anzusetzen ist; großenteils gehört dieser Wortschatz in den Bereich der Kontrasprachen, wenn dieser Begriff nicht zu eng verstanden wird. Schon der Umfang jener Lexika läßt auch hier auf ständige Neuschöpfungen schließen – und wiederum geht es dabei nur zum kleineren Teil um die sprachliche Bewältigung neuer Gegenstände und Situationen, zum größeren dagegen um die Erneuerung der Gruppenabzeichen, um die ›Verjüngung‹ der Vokabeln. Zwei – miteinander zusammenhängende – Gründe scheinen es vor allem zu sein, die diese ständige Erneuerung notwendig machen.
Der eine Grund liegt in der Abnutzung der sprachlichen Mittel, die um so rascher ist, je auffallender und ungewöhnlicher diese Mittel sind. Für jenen Wortschatz ist aber charakteristisch, daß dick aufgetragen wird; viele Kontrasprachen wenden sich wie gegen die gesellschaftliche auch gegen die sprachliche Langeweile; sie putzen das »Wörterbuch verblaßter Metaphern« mit grellen Plakateffekten heraus. Schlichter gesagt: sie operieren mit Bildern, wo die sonstige Sprache längst nur noch das hinweisende Zeichen kennt. Der Pianist wird zum *Tastenhengst,* die gute Leistung eines Solisten zur *Wolke,* das Saxophon zur *Kanne,* die *unten und oben losgeht,* die Trompete zum *Feuerhorn,* die Kapelle spielt *auf heiß* oder *auf Moos* (d.h. ums Geld) – und so fort. Die hier angeführten Begriffe sind aber inzwischen großenteils schon wieder passé. Es gab nur zwei Möglichkeiten: entweder auch sie wären verblaßt zu bloßen Zeichen – aber dafür gab es ja schon die guten alten Vokabeln; oder aber sie mußten rechtzeitig, schnell ersetzt werden. Das gleiche kann auch an den *»verfremdenden«* Mitteln der Kontrasprachen gezeigt werden. Wenn statt Kriegsfreiwillige plötzlich *Kriegsmutwillige* gesagt wird, dann stellt sich dieses Wort zum ursprünglichen und üblichen in kritischen Kontrast. Wenn gefragt wird, *gegen* wen sich einer verlobt, dann steckt in dieser Frage zunächst skeptischer Witz, der ebenfalls aus dem Automatismus des Redens und Hörens hinausführt. Und wenn jemand sagt, es gehe ihm *durch Mark und Pfennig,* dann wird auch hier eine witzige Verbindung hergestellt zwischen dem Sitz der Nerven und dem »nervus rerum«, dem Nerv aller Dinge in unserer Gesellschaft. Aber auch hier gibt es nur die beiden Möglichkeiten, daß entweder die Verfremdung abstirbt, so daß

auch diese Ausdrücke in der üblichen widerstandslosen Weise durch die Gespräche gleiten – oder sie müssen durch neue Provokationen ersetzt werden.
Dies gilt um so mehr, als das Netz der Kommunikation innerhalb ›kontrakulturell‹ geprägter Gruppen meistens sehr eng und dicht ist – zwangsläufig werden die Leitvokabeln sehr oft wiederholt, und es verhält sich dann damit wie mit der *Mode*: weil etwas Mode ist, wird es überall und bei jeder Gelegenheit gezeigt – und eben dadurch kommt es sehr rasch wieder aus der Mode. Zwar hat sich in den hier in Frage kommenden Gruppen oft eine Art Einverständnis darüber herausgebildet, daß es sich bei den häufigsten sprachlichen Formeln *nur* um ›Abzeichenwörter‹ handelt, aber auch dieses Einverständnis ändert auf längere Sicht nichts daran, daß die eingetretene Blässe und Langeweile der Vokabeln stört und zu Neubildungen provoziert.
In der gleichen Richtung wirkt sich aber auch eine andere, außerhalb der Gruppen liegende Kommunikationsbedingung aus: die Gesellschaft insgesamt zeigt ein wachsendes Bedürfnis an sprachlichen Formen, die sich nicht gerade den striktesten sprachlichen und gesellschaftlichen Normen unterwerfen und die in der Lage sind, die sprachlichen Konventionen etwas *aufzulockern*. Sie eignet sich deshalb vieles aus dem Kontrasprachschatz an und nimmt ihm dadurch zwangsläufig die Möglichkeit, als ausschließendes Gruppenabzeichen zu fungieren: wo eine sprachliche Form die anderen, Nichtdazugehörigen nicht mehr abwehrt und ausschließt, taugt sie auch nicht mehr so gut zur Solidarisierung im Innern. Etwas salopp ausgedrückt: wenn alle »in« sind mit ihrer Sprache, dann haben sich die Grenzen der ›in-group‹, die Grenzen zwischen drinnen und draußen verwischt.
Die globale Feststellung ›die Gesellschaft‹ kann dabei differenziert, es können mehrere Arten und Wege der Aneignung unterschieden werden. So lassen sich etwa bestimmte Epochen herausstellen, in denen die gesellschaftliche Konstellation die Ausbreitung des Jargons begünstigte. Dieser Begriff *Jargon*, der im Französischen seit dem 12. Jahrhundert belegt ist, bedeutet dort zunächst (unverständliches) Geschwätz. Seit dem Ende des Mittelalters bezeichnet er die Geheimsprachen von Gaunern und anderen ›außerhalb der Gesellschaft‹ stehenden Gruppen. Als er aber Ende des 18. Jahrhunderts nach Deutschland kommt, hat er eine andere Bedeutung angenommen, ähnlich dem französischen *Argot*: die Bedeutung einer betont vulgären, antikonventionellen Sprache. Mario Wandruszka hat darauf hingewiesen, daß sich noch während des Ancien régime in Frankreich eine »derbe Antwort auf den aristokratischen Kult der schönen, edlen, reinen französischen Sprache« herausbil-

dete, so wie sich auch der angelsächsische *Slang* gegen die allzu strenge »viktorianische Sprachzucht« wandte.
In Deutschland gab es zwar ebenfalls einen gewissen Wechsel von pflegerischen Einflüssen und grobianischem Widerstand; aber die Sprachkonvention war nie ähnlich verbindlich wie in England oder Frankreich. Die Entwicklung des Jargons hängt hier deshalb enger mit den soziokulturellen Veränderungen im Zuge der *Industrialisierung* zusammen. Man hat oft – meistens kritisch von seiten der Sprachpflege – darauf hingewiesen, daß die *Großstädte* die wichtigste Einbruchstelle des Jargons waren. Dafür gibt es mehrere Erklärungen. Einmal war dort die Zahl gesellschaftlicher Randexistenzen besonders groß: es gab – dies darf auch ohne die falsche Vorstellung vom großstädtischen »Sündenbabel« gesagt werden – gewissermaßen fließende Übergänge zwischen der Welt gesellschaftlicher ›Outsider‹ und der proletarischen und bürgerlichen Großstadtexistenz. Ebenso wichtig war aber wohl ein anderer Umstand. In den Großstädten bildete sich besonders früh und besonders kraß heraus, was später zu einem allgemeinen Charakteristikum unserer Zeit wurde: die andrängende Fülle des Neuen im Zusammenhang mit Verkehr, Verwaltung, Warenwelt. Die Verspätung, die in gewisser Weise grundsätzlich zur Sprache gehört, da ihre Wörter und Formen viele Veränderungen der Wirklichkeit überdauern – diese Verspätung wurde hier besonders empfindlich spürbar; sie mußte im Sprung überwunden werden. Dies war die schöpferische Leistung des Jargons. Und noch ein drittes spielte mit. In den Großstädten entwickelte sich zuerst und wiederum am deutlichsten eine Kommunikationsform, die sich von den früheren Formen gesellschaftlich-sprachlichen Kontakts erheblich unterschied: die Kommunikation, die durch raschen und flüchtigen Kontakt bestimmt ist. Sie forderte besondere sprachliche Mittel, und dazu gehörten in erster Linie die lauten Farbtupfer des Jargons, welche die herkömmliche, umständlich dahinfließende Sprache keß und ironisch verfremden. So entstand hier ein so großer Bedarf an sprachlichem Kontrast, daß schnell und begierig ergriffen wurde, was immer sich irgendwo – abzeichenhaft zunächst – als Kontrasprache gebildet hatte.
Parallel dazu muß darauf hingewiesen werden, daß es bestimmte *Sachbereiche* gab und gibt, die ebenfalls für den Jargon und damit für die in einzelnen Gruppen entstandenen Wörter, Sprachbilder und Wendungen besonders empfänglich sind. Dazu gehört in erster Linie der weite Bereich der *Sexualität*. Zum Teil hängt dies damit zusammen, daß das Angebot der konventionellen Sprache auf diesem Gebiet äußerst dürftig ist. Puritanische Gesinnung hat dafür gesorgt, daß es für bestimmte sexuelle Dinge und Vorgänge nur medizinische

Ausdrücke oder extrem blasse, verhüllende Bezeichnungen gibt; das Wort *Glied* ist ein Musterbeispiel dafür. So besteht von vornherein ein sprachliches Manko für jegliche Verständigung in diesem Bereich. Dazu kommt aber, daß sexuelle Sprache naturgemäß *ent*hüllend sein muß. Im Zustand sexueller Erregung entsteht ein aggressiver Totalanspruch, der alles sexualisieren möchte, und die Sprache bietet ein Mittel dazu. Der Anthropologe *Ernest Borneman* hat auf über 600 Seiten den »obszönen Wortschatz der Deutschen« zusammengestellt; dieser Wortschatz enthält zwar auch dialektgefärbte Wörter und Kunstvokabeln, aber zum weitaus überwiegenden Teil besteht er aus ganz normalen Wörtern der Hochsprache. Dies ist deshalb leicht möglich, weil die sexuellen Vorgänge so elementar sind, daß sie Assoziationen in den verschiedensten Richtungen zulassen. *Abendlied, Après-Ski, Betstunde, Duo, Fahrer, Federball, Flipflop, Gymnastik, Innenaufnahme, Kaiserwalzer, Lakkierung, Nachtmusik, Partie, Pfiff, Runde, Salonstück, Schieber, Schnappschuß, Spritztour, Stippvisite, Taucher, Turnstunde, Vitamin F, Zug* – das ist nur ein kleiner Ausschnitt der angeführten Wörter für *Koitus*; aber er verdeutlicht das Prinzip, das darin besteht, daß Gegenstände, die in der offiziellen Wertetafel der Gesellschaft weit oben stehen, ›heruntergeholt‹ und in kritischer Ironie der Sphäre des Geschlechtlichen einverleibt werden, der sie so Farbe und Welthaltigkeit vermitteln. Nun hat Borneman seinen Wortschatz überwiegend bei Dirnen und Zuhältern gesammelt, und sicherlich wird man annehmen dürfen, daß sich vieles davon in diesen Kreisen wiederum als eine Art Kontrasprache herausgebildet hat. Aber hier sind nicht nur gesellschaftliche Querverbindungen gegeben; sie liegen gewissermaßen in der Sache selbst.

Die Frage der *›Enteignung‹ von Kontrasprachen* und ihres Übergangs in einen allgemeineren Jargon wäre jedoch im Blick auf unsere Zeit sehr unvollständig behandelt, wenn nicht auch ein Wort über *Massenkonsum* und *Massenmedien* gesagt würde. Es ist ganz überwiegend diese Form »sekundärer« Kommunikation, die sich die Besonderheiten von Subkulturen zu eigen macht und sie damit einem größeren Kreis vermittelt. Schallplatten der *Beatles* trugen den Liverpool-Akzent und mit ihm die Jargonwörter der jugendlichen ›Beat-Fans‹ in alle Welt. Damit mag einerseits tatsächlich – Borneman hat es so gesehen – die »Revolution der Vulgärsprache« in England ernsthaft begonnen haben; aber andererseits wurde eben diese Vulgärsprache durch die Plattenerfolge in die Unterhaltungsindustrie integriert und in gewisser Weise verbraucht. Noch deutlicher ist dies hinsichtlich der ›Sprache des *Protests*‹ in der Bundesrepublik. Diese besondere Sprache bildete sich im Zuge der Studentenbewegung heraus; aber sie ist weit über diese hinaus zur Mode geworden. Ebenso wie Plakate, Ansteckknöpfe und ähnliches wurden auch die Sprachabzeichen bald von immer mehr Leuten immer unverbindlicher benützt. Daß damit auch eine Ausweitung der Ideen des Protests verknüpft war, soll nicht bestritten werden; aber sie verloren an Verbindlichkeit: für viele wurden die Wörter und Formeln, die zunächst sehr konkrete Vorstellungen und Forderungen bezeichneten, zum recht äußerlichen Abzeichen angeblicher Fortschrittlichkeit.

Dazu kommt noch etwas anderes. Die Übernahme der sprachlichen Eigenheiten durch Leute außerhalb der ursprünglichen Gruppe ist gar nicht unbedingt Voraussetzung für das, was hier ›Enteignung‹ von Sprachabzeichen genannt wurde. Allein schon die *Darbietung* in weitverbreiteten Massenmedien führt sehr schnell dazu, daß die Eigenheiten ihren auszeichnenden Charakter verlieren. Ein gutes Beispiel dafür bieten Ausdrücke der *Teenager* und *Twens*, die sich in kleineren Gruppen und subkulturellen Verbindungen von Jugendlichen herausbildeten. Dieser Sprache der Jugendlichen wandten die Massenmedien rasch ihre Aufmerksamkeit zu, meistens sehr wohlwollend, zumal solche Berichte dem verbreiteten Interesse an der Jugendkultur entgegenkamen. Sobald aber sprachliche Eigenheiten so einem größeren Publikum vorgestellt waren, konnten sie ihre ursprüngliche Funktion nicht mehr zureichend erfüllen. Ein Film wie »Zur Sache, Schätzchen« hat sicher dazu beigetragen, die Sprache der *abgeschlafften Typen* bei Millionen zum gelegentlichen Umgangston zu machen – aber man geht wohl kaum fehl in der Annahme, daß die wirklichen »Typen« nicht gut so reden können: das Abzeichen ist allzu marktgängig.

Anhand bestimmter Wörter läßt sich der hier anvisierte Vorgang belegen. Das Wort *Zahn* für Mädchen entstand um 1950 in der Umgangssprache der Halbwüchsigen; und Erwachsene halten es heute noch für einen der charakteristischsten Ausdrücke der Jugendsprache. Tatsächlich aber war dieser Ausdruck, als Heinz Küpper im Band »Jugenddeutsch von A–Z« 33 Varianten davon zusammenstellte, längst zahnlos geworden: er biß nicht mehr, er gehörte nun sehr viel eher als in die Umgangssprache von Jugendlichen ins flotte Zeitschriftendeutsch und in die Sprache der Werbung, wo er vereinzelt neben anderen, auf jugendliche Käufergruppen zielenden Steigerungswörtern wie *dufte, flower, happy, pop, sexy, sound, super* zu finden ist. Verallgemeinert man diese Beobachtung, dann besagt sie: die sprachlichen Gruppenabzeichen müssen heute schneller und häufiger als früher erneuert werden. Das hat einerseits zu Talmiprodukten geführt: viele der zur Schau gestellten oder auch heimlich gehüteten sprachlichen Besonder-

wandert sein. Man ist gewissermaßen schußbereit. In der Reichswehrzeit aufgekommen und spätestens seit dem Zweiten Weltkrieg in der gemeindeutschen und österreichischen Schüler- und Studentensprache sehr häufig. Lit: 1959 A 14/11; 19. 9. 1964 A 13; 1966 Zwerenz 1, 76; Sept. 1968 A 531.

**Zacken** *m* Rausch. Analog zu *Spitz 1.* Gemeindeutsch seit der Mitte des vorigen Jahrhunderts. Berlin 1850 (Slg Kollatz-Adam). Beliebte Studentenvokabel. Lit: 1883 Stinde 1, 196; 1955 Roewer 1, 7; 1964 Sorgenfrei 2, 21; 1967 A 120/24.

**zackig** *adj* s. *Macker* 7.

**Zahl** *f* rote Z. = schlechte Note. Es kommt einer in die »roten Zahlen«, wenn das Bankkonto nicht mehr gedeckt ist. 1955 ff., *schül.*

**zählen** *intr* zähle bis drei und bete = a) Mathematikstunde. Übernommen vom Titel eines Films. 1959 ff. = b) Religionsstunde. 1959 ff.

**Zahlenakrobat** *m* Mathematikprofessor. Er jongliert mit Zahlen wie ein Akrobat. 1920 ff., *schül* und *stud.*

**Zahltag** *m* Tag, an dem der Lehrer die Klassenarbeit zensiert zurückgibt; Tag der Zeugnisausteilung. Eigentlich der Tag, an dem der Arbeitnehmer seinen Lohn erhält. *Schül* 1945 ff. Südwestd und schweiz. Vgl Dietz 1, 12.

**Zahn** *m* 1) Mädchen. Eines der häufigsten Wörter in der Halbwüchsigensprache seit 1950. Fußt wahrscheinlich auf gleichbedeutendem *angloamerikan* »toots«, das fälschlich für »tooth« genommen wurde und in der Übersetzung »Zahn« ergab. Wahrscheinlich beeinflußt von der Vorstellung zahnähnlich aufragender Bergspitzen nach dem Muster der »Dents du Midi«. Soldaten des Ersten Weltkriegs nannten den Frauenbusen »Wonnegebirge«. *Halbw* (Lex: Teen.-Lex. 1, 46; Welter 1, 30; Marcus 1, 155). Lit: 1956 Sommer 16, 26; 1957 Holiday 1, 91 (im Anhang zu der Übersetzung wird darauf hingewiesen, daß das Wort in den USA zum Musikerjargon gehört); 11. 7. 1959 A 201; 18. 5. 1965 Deutsches Fernsehen (Das Fernsehgericht tagt); 1968 Fichte 1, 152.

2) Rausch, Variante zu *Zacken* und *Spitz* 1. Österr 1950 ff., *jug.*

3) abgelaufener Z. = verlassenes Mädchen. Abgelaufen = ehemalig. Auch beeinflußt von der Vorstellung, daß das Mädchen durch vieles »Laufen« mit ihrem Freund für ihn das Interesse verloren hat. Vgl auch *abgelaufen 3. Halbw* nach 1950. Lex: Marcus 1, 155 (Berlin).

4) bedienter Z. = Mädchen mit starker geschlechtlicher Anziehungskraft. Vgl *bedient 1. Halbw* nach 1950. Lex: Marcus 1, 155. Lit: 1959 A 225/284; 1960 Krüger-Lorenzen 10, 294.

5) blonder Z. = blonde Freundin eines Halbwüchsigen. *Halbw* nach 1950. Lit: 1959 A 9/47.

6) dufter Z. = hübsches, munteres Mädchen. Vgl *dufte 1. Halbw* nach 1950 Lex: Marcus 1, 155. Lit: 1957 Holiday 1, 91; 1959 A 225/284; 1966 List 1, 64 und A 207/204.

7) falscher Z. = untreue Freundin. Eigentlich der künstliche Zahn. Hier meint »falsch« soviel wie »unzuverlässig, heimtückisch« o. ä. *Halbw* nach 1950.

8) fauler Z. = Mädchen, dessen Zuneigung man verliert; sterbende Liebe. Eigentlich der von Zahnfäule befallene Zahn; hier ist »faul« = unzuverlässig, träge. *Halbw* nach 1950. Lex: Welter 1, 17.

9) flotter Z. = munteres, lebenslustiges Mädchen, das sich selten ausschließt. Vgl *flott 2. Halbw* nach1950. Lit: 1961 A 179/5.

10) geschaffter Z. = Mädchen mit starker geschlechtlicher Anziehungskraft. Vgl *geschafft 1. Halbw* nach 1950. Lex: Marcus 1, 155. Lit: 1959 A 225/284.

11) goldener Z. = reiche Freundin eines jungen Mannes. *Halbw* nach 1950.

12) lockerer (loser) Z. = untreue Freundin eines Halbwüchsigen. *Halbw* nach 1950.

13) mürber Z. = Mädchen, das (leicht) in den Beischlaf einwilligt. Ihre Widerstandskraft ist zermürbt. *Halbw* nach 1950.

14) nasser Z. = junges, unerfahrenes, geschlechtlich noch nicht aufgeklärtes Mädchen. Das Mädchen ist noch »naß hinter den Ohren«; vgl WdU I, S. 368. *Halbw* nach 1950.

15) nervöser Z. = nettes, reizvolles, lebenslustiges Mädchen. Seine Nervosität zeigt sich in Unternehmungslust oder Liebessehnsucht. *Halbw* nach 1950.

16) saurer Z. = ältliche, unleidliche weibliche Person inmitten junger Leute; altes Mädchen. Sauer = mißmutig. *Halbw* nach 1950. Lex: Marcus 1, 155. Lit: 1961 A 179/3.

17) schräger Z. = leichtes, leichtlebiges Mädchen. Vgl *schräg 1. Halbw* nach 1950. Lit: 1962 A 21/28.

18) steiler Z. = a) großwüchsige, schlanke Freundin eines Halbwüchsigen. Dieser Ausdruck gibt der unter »*Zahn 1*« geäußerten Vermutung Nahrung, daß hinter »Zahn« die Vorstellung eines aufragenden Gebirges steht. *Halbw* nach 1950. Lex: Teen.-Lex. 1, 39. Lit: 1959 A 9/47; 1968

heiten sind in Wirklichkeit gar nichts Besonderes, sondern werden schon als Serienfabrikat – z. B. eben durch die Massenmedien – angeboten. Andererseits zwingt diese Situation zu sprachlicher Lebendigkeit, und es ist gewiß nicht nur ein koketter Widerspruch gegen die ängstlichen Diagnosen mancher Sprachpfleger, wenn man gerade in diesem ungeregelten, schwer durchschaubaren und sicher nicht kontrollierbaren Bereich der Gruppensprachen noch am ehesten sprachschöpferische Aktivität vermutet.

## Reden unter der Vereinsfahne

Anfang des 19. Jahrhunderts wurden in vielen südwestdeutschen Städten »Liederkränze« gegründet, die sich – im Gegensatz zu den künstlerisch ehrgeizigen »Liedertafeln« in Norddeutschland – dem »volkstümlichen Männergesang« zuwandten. Die Anregung dazu kam aus der Schweiz, und das Vorbild großer Appenzeller und Züricher Veranstaltungen war es auch, das 1827 zum ersten deutschen *Sängerfest* im schwäbischen Plochingen führte. Dabei hielt der Konrektor Karl Pfaff die Festrede, in der er das Ziel der Gesangvereine ausmalte:

> »Des Liedes Klang stärket das Herz, hebet frisch den schon gesunkenen Mut, und Hoffnung auch und Lebenslust ziehen auf des Gesanges brausenden Wogen in die Brust des Sterblichen. Nicht nur Freude holt der Sterbliche aus des Gesanges krystallnem Hause, für das höchste, teuerste, was er kennt, für Glauben, Freiheit, Fürst und Vaterland wird hier sein Gemüt begeistert; er wird emporgehoben aus dem gemeinen Leben, er schwebet hoch über dem kleinlichen Streben, den ängstlichen Sorgen der Alltagswelt, er wird seinem Mitmenschen näher gerückt, und niedersinken vor des Gesanges Macht der Stände lächerliche Schranken. Eine Familie, vereint in Eintracht, Freude und Begeisterung bildet der ganze Chor.«

Das ist eine seltsam bilderreiche, in Zitaten schwelgende Sprache, die beweist, daß es Superlative nicht nur in der Werbung und nicht erst in unseren Tagen gibt; der Redner schwingt sich von einer Metapher zur andern, um nichts an Schönem und Positivem auszulassen; er beschwört den Gedanken einer harmonischen, allen großen, unbestrittenen Werten verpflichteten Verbindung. Auch der Historiker muß sich hier nicht des kritischen Urteils enthalten: schließlich gab es um jene Zeit durchaus eine Sprache, die ihre Füße auf den Boden brachte – man braucht nur an Heine zu denken. Aber man wird gerechter-

weise doch einiges von den *Zeitbedingungen* erklärend heranziehen müssen. Es war die hohe Zeit der Schiller-Begeisterung und die Zeit einer etwas biederen, aber begeisterten Romantik. Die »Erweckung und Erwärmung eines vaterländischen deutschen Sinnes« stand in den Statuten vieler Gesangvereine. Dies war in jenen Tagen kleinstaatlicher Zersplitterung kein reaktionäres und auch kein phantastisches Ziel; es ist den Gesangvereinen später oft – unter anderem von Bismarck und Theodor Heuss – bescheinigt worden, wieviel sie zur deutschen Einigung beigetragen haben. Und selbst die Überwindung der Standesschranken war keine leere Proklamation; die »Liederkränze« wurden im wesentlichen getragen von allen Teilen des Bürgertums, und dieses Bürgertum war eben erst dabei, seinen Einfluß zu vermehren und seine politische Stellung zu festigen. Vieles also in dieser Rede erklärt sich aus einer vergangenen, einer längst vergangenen Zeit.
Ist sie wirklich vergangen? Im Jahr 1965 feiert der Gesangverein eines kleinen schwäbischen Dorfes sein hundertjähriges Bestehen; der Ehrenvorstand des »Uhlandgaues« im »Schwäbischen Sängerbund« richtet dabei ein Grußwort an die Festversammlung, das folgendermaßen beginnt:

> »Wenn der Sängerkranz 1865 Kilchberg in diesen Tagen festlich sein 100jähriges Jubiläum begeht, dann denkt er in dankbarer Freude an jene Tage zurück, an welchen seine Altvorderen das kostbare Samenkorn des Deutschen Liedes in die fruchtbare Erde seiner Heimat gelegt haben und erinnert sich daran, wie im Laufe der zurückliegenden Jahre aus dem keimenden Saatkorn ein himmelwärts strebender Lebensbaum geworden ist, der allen denen, die guten Willens sind, eine bleibende Heimstätte gegeben hat. Und alle Freunde empfinden dabei die wundertätige Kraft des Deutschen Liedes und des Gesangs, die uns gerade heute erfüllt, wenn wir in Erinnerung an diese bedeutsamen Tage dieses Jubiläum feiern. Denn der Gesang führt uns mit anderen Bindungen zur Einheit, die wir so dringend bedürfen.«

Gewiß ist auch in diesen Sätzen manches zeitbedingt – der *Lebensbaum* als *Heimstätte* hat seine Wurzeln wohl im Dritten Reich; und umgekehrt fehlt manches von den konkreten Zielsetzungen des ersten Liederfestes. Aber *himmelwärts, empor* trägt der Gesang hier wie dort, und es gibt auch Grußworte und Reden, in denen die alten Ziele ganz ausdrücklich vorgetragen werden. Es scheint zwei Möglichkeiten zu geben: entweder es handelt sich dabei um ewige Werte – und daran glauben offenbar zumindest die Redner –, oder die schönen Worte sind leere Floskeln, sind bloßes Ornament, das mit der Sache selber kaum etwas zu tun hat. Nun ist es tatsächlich keineswegs so, daß solche Reden aufmerksam verfolgt und

von den Zuhörern in allen Einzelheiten überlegt werden; man könnte zugespitzt geradezu sagen, hier komme deutlich eine der wichtigsten Funktionen von Sprache zum Vorschein: die, überhört zu werden. Aber ist es tatsächlich angemessen, als Leerformel beiseite zu schieben, was von den Rednern hundertfach erdichtet oder abgeschrieben, jedenfalls aber stets mit Inbrunst und Pathos *in den Raum gestellt* wird?
Vergleicht man den sozialen Standort und die kulturale Funktion der *Vereine* in der Gegenwart mit den hochtönenden Reden, so drängt sich die Interpretation auf, daß es sich dabei um eine Art Rückzugsgefecht handelt: obwohl und weil die alten Werte mit den heutigen Formen nicht mehr übereinstimmen, werden sie deklamatorisch von den Festrednern herausgestellt. Mit einigen Unschärfen läßt sich die eingetretene Verschiebung auf den Nenner bringen, daß Vereine heute in erster Linie Interessengruppierungen sind – Zusammenschlüsse, in denen es um oft sehr spezielle Zwecke geht. Gewiß wird im Kegelklub nicht nur gekegelt; der Kleintierzüchterverein kennt auch Geselligkeit ohne Kleintiere; die Mitglieder des Gesangvereins verstehen sich auch ohne Dirigent. Aber selbst wenn der Vereinszweck nur ein Vorwand wäre für allgemeinere Geselligkeit (und hie und da scheint dies der Fall zu sein) – auch diese allgemeinere Geselligkeit ist nur ein sehr begrenztes Angebot: selbst in Dörfern gibt es meist *mehrere* Vereine, und »Mehrfachmitgliedschaften« sind gerade in den kleineren Orten beinahe die Regel. Man hat die Veränderung auf die Formel gebracht, früher seien die Mitglieder für den Verein dagewesen, jetzt sei der Verein für die Mitglieder da. Diese Formel ist zwar zu glatt für die Wirklichkeit; aber so viel läßt sich sagen, daß es nur noch wenige sind, die mit voller Hingabe dabei sind, die im Verein *aufgehen*. Diese wenigen sind nicht unbedingt die Festredner; bei ihnen handelt es sich nicht ganz selten um prestigebewußte ›Mehrfachfunktionäre‹. Aber die Redner zielen auf die Denk- und Handlungsweise dieser vorbehaltlosen Vereinsanhänger, die zwar selbst innerhalb der Vereine manchmal als *Vereinsmeier* verlacht werden, die aber genau das vorleben und nachleben, was die Vereinsreden sagen. Und zumindest in den festlichen Augenblicken, in denen solche Reden gehalten werden, unterwerfen sich alle oder fast alle Mitglieder dieser Mentalität – sonst würden sie die feierlichen Metaphern-Luftballons der Reden zum Platzen bringen. In diesen Augenblicken präsentiert sich das bunte Durcheinander der Mitglieder so, wie es von den Festrednern gezeichnet wird: als Gemeinschaft.
Dieser Begriff *Gemeinschaft*, eines der Schlüsselwörter der Festreden, bedeutet nicht einfach Zusammenschluß. Es meint organische Zusammengehörigkeit, bei der das Ganze mehr ist als

die Summe der Teile, meint ein natürlich gewachsenes Miteinander – es ist kein Zufall, daß Sprachbilder wie die vom *Samenkorn*, vom *aufstrebenden Baum*, überhaupt von *Wachsen, Blühen, Fruchtbarkeit* eine so große Rolle spielen. Gemeinschaft ist ein Gegenbegriff zu Gesellschaft und Organisation. Während es in dieser entgegengesetzte Interessen und auch Konflikte gibt, die nur teilweise überbrückt werden können, bedeutet Gemeinschaft volle Einheit und Einigkeit. In der Vereinsgruppierung selbst ist das nicht ohne weiteres darstellbar; sie wird deshalb – freilich oft nur für die Dauer der Festansprachen – einer höheren, alle verpflichtenden *Idee* unterstellt. Als die Tübinger Reitgesellschaft – und solche Reitervereine sind meist gesellschaftlich exklusive Klubs, in denen einige Wohlhabende ihrem Hobby nachgehen – im Jahre 1965 ihre »*Hubertusjagd*« veranstaltete, hielt ein Pfarrer die Ansprache. Er stellte ein Bibelwort aus dem Philipperbrief voran: »Ich jage, das Ziel im Auge, nach dem Kampfpreis der Berufung nach oben durch Gott in Christus Jesus«, sprach von der Mühsal bei der »*Jagd des Lebens*« und von der Richtung dieser Jagd:

> »Wir sind von Gott nicht eingeladen zum Sturz, sondern nach oben. Es geht bei dieser Jagd nicht abwärts, sondern aufwärts, nicht zum Untergang, sondern in die Höhe. Der Sinn dieser Andacht liegt doch darin, daß wir nicht nur der Einladung einer zu Ende gehenden Jagd folgen, nicht nur kämpfen um einen Bruch, der verwelkt. Wir sind eingeladen von Gott, unsere Begegnung mit dem Kreuz, mit Jesus Christus, ernst zu nehmen.«

Aus einiger Entfernung liest sich dies wie eine Parodie; aber solche Überhöhungen sind gang und gäbe. Sie brauchen freilich nicht immer ins Religiöse zu führen. Auch *Volk* und *Vaterland*, so formelhaft diese Begriffe geworden sind, werden oft beschworen. Insbesondere ist dies bei der *Fahnenweihe* der Fall:

> »In unserem Vereinswesen erleben wir heute einen lange herbeigesehnten Tag, einen Tag überaus festlichen Anlasses. Unsere Damen, die Frauen und Töchter unserer Mitglieder, haben uns unter dem Einsatz größter persönlicher Opfer an Zeit und Geld eine kunstvoll gestickte Fahne hergestellt. Ich stehe bewegten Herzens vor Ihnen und nehme die uns ehrende Gabe hin in dem Bewußtsein, mit dieser Fahne nicht nur ein Symbol erhalten zu haben, sondern zugleich auch eine Verpflichtung eingegangen zu sein: nämlich die Treue zu diesem Symbol! – Eine Fahne zählt stets zum Heiligsten, was ein Verband, eine Gruppe, eine Truppe in Besitz hat. Um sie schart man sich angesichts treuester Kameradschaft. Sie rollt man auf in feierlichster Zeit. Sie trägt man voran, wenn es zum Sturm geht. – Wir haben also nicht nur allen Grund,

den Stiftern dieser schönen Vereinsfahne dankbar zu sein, wir werden dieses äußere Symbol auch Anlaß sein lassen, die Ziele und Zwecke unseres Vereins weiterhin zu pflegen. Eine Fahne soll auch anhalten zu Unterordnung und Einordnung in eine gemeinsame Idee. Diese Idee wird immer Disziplin von jedem verlangen, der sich zu ihr bekennt. Wir wollen uns fortan also noch mehr als bisher auch zu dieser Tugend bekennen und sie erweitern aus dem engen Rahmen des Vereinslebens zu der Gesamtheit im Volk. Denn dann hat die Zugehörigkeit zur Fahne erst einen Sinn. Die Flagge eines Vereins, sein Symbol, muß Ausrichtung haben zum großen Ganzen, dann erst gibt sich in ihr der höchste Sinn solcher Symbolhaftigkeit kund. – Geloben wir also angesichts unseres neuen Vereinssymbols Treue, die nicht nur im Kleinen besteht, sondern auf das Gesamtwohl zielt, nichts zu wollen und zu erstreben, was wir nicht angesichts unserer Fahne auch vor unserem Gewissen vertreten könnten.«

Dieser groteske Text stammt nun allerdings nicht aus einer bestimmten Rede, sondern er stellt eine *Muster-Rede*, ein *Redemuster* dar. Er steht in einem in vielen Buchhandlungen angebotenen und gern gekauften Büchlein »Reden und Ansprachen zu festlichen Anlässen«, das außer Ansprachen für privatere Feiern zum Beispiel auch Reden zum Vereinsstiftungsfest, zur Jahresfeier eines Gesangvereins und eines Schützenbundes enthält. Die Ähnlichkeit in Vokabular und Ausdrucksweise, die sich durch so viele tatsächlich gehaltene Reden zieht, hat also ihre Grundlage wohl nicht nur in einer einheitlichen Gesinnung, sondern auch in direkter gegenseitiger Abhängigkeit und in solchen ›Ratgebern‹. Daß in einem solchen Büchlein ein solcher Text auftaucht, bezeugt indirekt die Häufigkeit weltlicher Fahnenweihen und kirchlicher Fahnensegnungen, die sich selbst neugegründete Vereine manchmal nicht entgehen lassen.

Selbst dort, wo durch einen Verein mehr oder weniger egoistische Interessen vertreten werden, wird oft die *»idealistische«* Überhöhung gesucht. Ein besonders krasses Beispiel dafür führt *Herbert Freudenthal* an in der wohl eingehendsten Untersuchung des Vereinswesens, die wir besitzen. Im »Eimsbütteler Grundeigentümerverein« wurde 1933 anläßlich des 25jährigen Bestehens ein Jubiläumsspruch vorgetragen, in dem es heißt:

»Wenn je ein Land vom Schicksalssturm geschüttelt,
Dann war es Deutschland, unser Vaterland,
Wenn je ein Stand von diesem Sturm gerüttelt,
So war's der Grundbesitz in Stadt und Land.
Was Geldentwertung ihm gelassen,
Ließ Wohnungszwang und Mieterschutz erblassen,
Die Hauszinssteuer hat den Rest hinweggeblasen.

Doch alles Unglück konnte nicht zerstören
Die feste Einigkeit in unsern Reihn,
Nun galt es grade sich zu wehren,
In Treue festzuhalten am Verein!
Zwölfhundert Mann stehn fest zu unserem Werke,
Ein ganzes Regiment in Friedensstärke!«

Das Entstehungsjahr 1933 erklärt vielleicht, *wie* handfestes Einzelinteresse mit nationalen Phrasen versöhnt wird; aber *daß* eine solche Überhöhung gesucht wird, ist ein allgemeineres Merkmal. Sie ist ein Mittel, Einigkeit und Einheit zu beschwören. Oft kommt ein anderes Mittel hinzu: die persönliche Nähe und damit die Harmonie der Vereinsmitglieder wird betont. Besonders deutlich wird dies im Begriff *Vereinsfamilie*, der ebenfalls zu den Leitwörtern der Festreden gehört.

Dieser Begriff ist aus der Geschichte des Vereinswesens erklärbar. Vereine entstanden in größerer Zahl, als Manufaktur und Industrie, Handel und Verwaltung die Arbeitseinheit der Familie auflösten, in einer Zeit, in der die alten Bindungen an dörfliche und städtische Nachbarschaften verlorengehen mußten. In dieser Phase hatten viele Menschen das Bedürfnis, einen neuen Bereich mit intensiver Kommunikation, mit nachhaltiger gegenseitiger Anteilnahme, mit voller Übereinstimmung zu finden. So entstanden gefühlvolle Freundschaftsbünde; aber auch die Vereine boten eine Möglichkeit für das Gefühl solcher Übereinstimmung. Eine große Zahl älterer Vereinsnamen sagt über die spezielle Zwecksetzung fast nichts, drückt aber gerade diesen Wunsch nach Übereinstimmung aus: *Harmonie, Concordia, Eintracht, Einigkeit, Solidarität,* sogar *Freundschaft* und *Bruderliebe* tauchen auf. Heute sind nicht nur diese Namen antiquiert; auch der Begriff der *Vereinsfamilie* hat zumindest etwas Übertriebenes an sich. Die oft sehr speziellen Aufgabenstellungen und die große Zahl der Vereine stehen im Gegensatz zu dem Totalanspruch, der sich in Wörtern wie ›Gemeinschaft‹ oder ›Vereinsfamilie‹ ausdrückt. Aber diese Begriffe haben die Funktion, wenigstens zeitweilig den Anschein zu erwecken, als gäbe es nichts Störendes in den geschlossenen Reihen. Je massenhafter der Betrieb wird (und bei großen Sängertreffen geht die Zahl der Teilnehmer schon in die Hunderttausende), um so grotesker, aber auch um so häufiger ist es, daß das Persönliche herausgestellt wird: *Vereinsfamilie* – das ist unmittelbare Zuwendung und volle Übereinkunft, da paßt nichts Fremdes dazwischen.

In den gleichen Zusammenhang gehört auch der in Grußworten häufig beschworene *Geist* eines Vereins: der *echte Feuerwehrgeist,* der *deutsche Schützengeist,* der *SV-08-Geist,* der *alte Sängergeist.* Dieser je nach Sparte anders benannte, aber im Grunde immer gleiche Geist *beseelt* die Vereinfamilie; be-

*Leise flehen meine Lieder... „He, Sie da hinten Nr. 98 467: c nicht cis!"*

Die »Vereinsfamilie«

wiesen wird sie aber auch durch *Gemütlichkeit*, ein Wort, das nach meinem Eindruck noch häufiger ist als *Frohsinn*, wenn vom ernsten Teil auf den anderen, eben den *gemütlichen*, umgeschaltet wird. Und auch der Begriff *Heimat*, nach wie vor eines der zentralen Wörter in den Vereinsreden, vermittelt etwas von der Enge, Nähe und inneren Übereinstimmung, die angeblich in fast allen Vereinen herrscht. Er führt allerdings auch noch in einen anderen, ebenso wichtigen Zusammenhang.

> »Als Vorsitzender und Ehrenvorsitzender des Gebirgstrachtenvereins ›Almrausch‹ haben wir es uns zur Aufgabe gemacht, die alten Sitten und Bräuche der Heimat zu hegen und zu fördern und hoffen dies weiterhin aufrechterhalten zu können. Wir haben dies durch die Anschaffung unserer neuen Fahne, die heute geweiht worden ist, dokumentiert.«

Dies sagt ein stämmiger Mann in kurzen Lederhosen – aber nicht etwa in Oberbayern, sondern in einem Ort des Kreises Moers am Niederrhein. *Heimat* ist also nicht etwa die schlichte Bezeichnung der Gegend, in der man zu Hause ist; Heimat ist vielmehr eine aus urwüchsiger Natur und alter Überlieferung zusammengesetzte Kulisse, die von Fall zu Fall aufgerichtet wird. Nicht jede Landschaft kann in gleicher Weise Heimat vertreten; das Bayrische, Alpine, eignet sich besonders dazu; das Gebirglerische gibt dem Begriff die nötige Wendung ins Folkloristische, und ein Wort wie Almrausch – was auch immer darunter im einzelnen verstanden wird – verkörpert das Alte und Echte schlechthin.

Zu diesem Begriff Heimat gehört als Gegenstück das Wort *Tradition*, das sich ebenfalls durch zahllose Festreden zieht: *auch in unserer schnellebigen Zeit*, heißt es, und aus diesem Kontrast heraus werden auch noch die unsinnigsten Wiederbelebungsversuche gerechtfertigt. In einer fränkischen Stadt treffen sich Bürgerwehren und Stadtgarden zum Vorderladerschießen. Der Oberbürgermeister muß begrüßen (muß er wirklich?). Die *Tradition* dient als Berechtigungsausweis:

> »Liebe Schützen, liebe Festgäste und liebe Schlachtenbummler! Seien Sie in dieser traditionsreichen Stadt herzlich willkommen. Wir halten heute das zweite internationale Schwarzpulverschießen ab und erwarten viele Gäste aus dem In- und Ausland. Vor allem aber begrüße ich jetzt die vielen Bürger- und Heimatwehren, die sich hier eingefunden haben und heute unser Fest verschönern und ihm das Recht geben, eine alte Tradition wieder zu feiern und hier heute wieder aufleuchten zu lassen. Die Vorderlader waren ja das erste Gewehr, das viele Jahrhunderte hindurch die einzige Schußwaffe war, nachdem einmal das Schwarzpulver erfunden war, angeblich von Berthold Schwarz. Und vielleicht, hat man mir vorhin gesagt, haben die vielen Kriege im Mittelalter, auch der 30jährige Krieg, so lange gedauert, weil man so lange brauchte, um die Gewehre und die Geschütze zu laden. Und der alte Fritz hat seine großen Grenadiere deswegen gebraucht, weil das starke Männer und große Männer sein mußten, um die großen Vorderlader zu halten – früher hat man ja bekanntlich dafür noch Gabeln gebraucht, um das Gewehr vorne aufzustützen. Also heute feiert der Vorderlader wieder seinen Triumph.«

Dies ist keineswegs eine der überschwenglichen Ansprachen. Das Stadtoberhaupt sagt all das nicht besonders pathetisch, eher etwas gequält; und nach den obligaten Worten zur *alten Tradition* sucht der Redner Zuflucht bei humoristischen Bemerkungen. Aber der Humor bleibt an die Traditionsbehauptung gefesselt; er deckt unfreiwillig das Peinliche, ja Makabre auf, das in solchen unzeitgemäßen Vereinen steckt. Die Bürgerwehren waren im frühen 19. Jahrhundert wichtige Institutionen stadtbürgerlicher Selbsthilfe, und zwar keineswegs nur in bewaffneten Auseinandersetzungen. Als sie nach dem letzten Kriege neu gegründet oder *»wiedererweckt«* wurden, war davon keine Spur mehr vorhanden. Die Reden aber schaukeln die Bedeutung hoch. Grußworte zu einem anderen, schwäbischen Bürgerwehrtreffen: Kiesinger, damals Ministerpräsident, spricht von der *»mitfühlenden und mittätigen Teilnahme«* der Bürger einer Stadt und sieht in den Bürgerwehren einen Beitrag,

*»daß in Ihrer Stadt die Liebe zur Heimat und die Bereitschaft zur bürgerschaftlichen Mitverantwortung lebendig bleiben«*. Auch der Bischof sieht *»in den Bürgerwehren mehr als bloßen Zierat der heimatlichen Feste. Sie sind auch Ausdruck einer echten Gemeinschaft. Wir hoffen und wünschen, daß Eure Gläubigkeit und Rechtschaffenheit das Gemeinwohl in Eurer Heimatstadt und im ganzen Volk stützen und fördern«*. Der Bürgermeister schließt sich an, sieht in den Vereinen eine *»Festigung bodenständiger Tradition«*, die mit dem *»Brauchtum«* zusammen *»den fruchtbaren Lebensboden einer Stadt«* bildet, *»auf dem sich gesunder Bürgersinn und tief im Herzen wurzelndes Heimatgefühl entwickelt«*. Der Kommandant erhofft von dem Fest, daß es *»neuen Ansporn«* gibt, *»das von unseren Vätern übernommene Erbe zu hegen und zu pflegen. In Treue zur Heimat wollen wir unseren Idealen weiterhin dienen«*.
Diese *Ideale* werden nirgends dargelegt; die vom Landeskommandanten erwähnte Verbindung zwischen *»jahrhundertealter Tradition«* und *»lebendiger Gegenwart«* wird nirgends sichtbar. Die Bedeutungslosigkeit solcher Vereine läßt die offizielle Beachtung, die sie finden, merkwürdig erscheinen. Aber es gibt mindestens zwei Gründe dafür. Der eine taucht im Jahresbericht des Historischen Vereins jener Vorderlader-Stadt auf, wo das Treffen der Bürgerwehren und Stadtgarden, bei dem sogar das Fernsehen »Szene um Szene« aufgezeichnet habe, als ein Höhepunkt *»in der Imagepflege«* der Stadt bezeichnet wird: jene farbige Vereinsseligkeit hat wenig mit bürgerschaftlicher Verantwortung, aber einiges mit dem Fremdenverkehr zu tun. Der zweite Grund, der auch die politische Würdigung verständlich macht: die unpolitische Haltung solcher Traditionsvereine, die sich lediglich reichlich abstrakt aufs Gemeinwohl und ähnliches beruft, ist durch und durch konservativ; in der Tat ist ihre Wirksamkeit »mehr als bloßer Zierat der heimatlichen Feste« — sie läßt die tatsächlichen politischen Fragen unangetastet und verfestigt die herrschenden Werte.
Der Einwand liegt nahe, hier werde mit Kanonen nach Spatzen geschossen. In der Tat gibt es eine ganze Reihe von Erklärungen, die den hier bloßgestellten Charakter der Vereinsreden entschuldigen. Zunächst einmal: Vereinsredner sind nicht zu beneiden. Die Situation ist ja immer ähnlich; die Anwesenden allgemein und ein paar geladene Gäste besonders müssen begrüßt, die festliche Zusammenkunft muß begründet, der Veranstaltung muß ein guter Verlauf gewünscht werden. Viele von den Rednern wissen natürlich, daß es nicht allzu originell sein kann, was sie zu sagen haben, weil es dem Ritual von Begrüßung, Lob, Dank und guten Wünschen für die Zukunft unterworfen ist. Eben deshalb aber steigern sie ihren Ton, gebärden sich, als ob sie ganz besonders Inniges, Bedeutendes,

Großes zu sagen hätten, und eben dadurch liefern sie sich vollends den unklaren Proklamationen der Vereinsreden aus. Ein Fluß schwillt nicht an, ohne trüb zu werden, sagt ein französisches Sprichwort.

In den gleichen Zusammenhang gehört, daß ja fast immer *mehrere* Redner antreten. Dies gibt überall Schwierigkeiten. »Wie man nur liest, daß da einer nach dem anderen vortrat und ›das Wort ergriff‹, so erschrickt man bereits für das arme Wort, dem es nicht gut ergehen wird.« Dies schrieb Karl Kraus anläßlich akademischer Festreden. Es ist verständlich, daß es dem »armen Wort« in den kleinen und kleinsten Vereinen nicht besser geht. Dabei spielt gewiß auch eine Rolle, daß die Kunst der Rede in Deutschland im Kleinen so gut wie im Großen vernachlässigt wurde; es gibt keine Tradition parlamentarischer oder allgemeiner demokratischer Debatten – es sei denn: im Verein. Tatsächlich ist ja der Verein in fast allen Fällen nach strengen Statuten angetreten, und ein Teil der internen Diskussionen und Reden ist meist formalen Fragen der Satzung und der Organisation gewidmet. Eben davon setzt sich die feierliche Rede betont ab, und auch dies mag zu dem allzu hochtrabenden Ton beitragen.

Was schließlich den ideologischen Gehalt der Reden anlangt, so muß darauf hingewiesen werden, daß Sprache grundsätzlich zur Ideologie neigt, daß sie überholtes Bewußtsein festhält. Wenn ich die Art der Zusammengehörigkeit in einem kleinen Verein bezeichnen will – welche Möglichkeiten stehen mir denn offen? *Gemeinschaft* geht nicht. *Kameradschaft* klingt anbiedernd und außerdem etwas militärisch. *Freundschaft* übertreibt. *Genossenschaft* ist etwas anderes. *Gesellschaft* ist ein allgemeiner Begriff. *Zusammengehörigkeit* selbst – führt dies nicht auch schon über den neutralen Rahmen hinaus in ein Feld überhöhter Gemeinsamkeit? Ich bin mir also darüber im klaren, daß Kritik und Besser-Machen zweierlei ist. Aber es scheint mir doch sinnvoll, bei Zuhörern und Rednern Mißtrauen gegenüber den großen Worten zu säen. Es sollte möglich sein, ein Vereinsfest ohne allzu *stolze Bilanz*, ohne *immerdar* und *immergrün*, ohne eine Inflation von Vokabeln wie *Idealismus, Opferbereitschaft* und *Traditionstreue* zu feiern. Und ich meine fast, damit sei eine zentrale Frage anvisiert. »Drei Deutsche – ein Verein« sagt man; aber eine entsprechende Bemerkung ist auch über die Amerikaner in den Vereinigten Staaten und über die Waliser in England in Umlauf. Was *möglicherweise* ein recht spezifisch deutsches Vereinsproblem ist, das ist eben jenes krasse Mißverhältnis zwischen überhöhtem Selbstverständnis und tatsächlicher Bedeutungslosigkeit. Wenn das Selbstverständnis nüchterner und realistischer würde, dann wäre zwar vermutlich eine Reihe von Vereinen kaum mehr lebensfähig; aber andere würden sich dann hoffentlich mehr als bisher Aufgaben zuwenden, bei denen Begriffe wie *Gemeinwohl* nicht übertrieben sind.

## Sprachklischee und Vorurteil

*Warum ist es am Rhein so schön?* Die Frage scheint längst beantwortet, mehrstimmig und mit Kehrreim. Aber das populäre Trinklied sagt eigentlich nur, *inwiefern* es am Rhein schön ist. Die *Gründe* mögen sich für heimatbewußte Rheinländer und treue Anhänger des Massentourismus von selbst verstehen; aber für die anderen müssen sie etwas weiter hergeholt werden. Da wäre etwa daran zu erinnern, daß der Weg das Rheintal hinauf schon früh zu den Königswegen des Fremdenverkehrs zählte. Es wäre hinzuweisen auf die romantische Poesie und Malerei, die sich in dieser Landschaft und auf diese Landschaft konzentrierte. Selbst der Umstand, daß sich *Rhein* auf *Wein* reimt, könnte allen Ernstes erwähnt werden; kein anderer großer Fluß hat ähnliches zu bieten. Vor allem aber müßte man an den Inhalt *anderer* Rheinlieder denken, die auf die strategische Lage des Stromes zielen und jene Forderung des letzten Jahrhunderts festhalten: »Der Rhein ist Deutschlands Strom, nicht Deutschlands Grenze«. Wenn heute die »Wacht am Rhein« in unmittelbarer Nachbarschaft rheinischer Trinklieder erklingt, dann entspricht dies zwar keineswegs den Absichten der Urheber dieses Liedes, aber es ist doch ein ahnungsvolles Nebeneinander: der *schöne Rhein* und der *deutsche Rhein* gehören zusammen; beides sind Sprachklischees, die in die rheinische Wirklichkeit eingegangen sind.
*Sprachklischees* – so könnte man in einem ersten Anlauf definieren – sind sprachliche Formeln, die vom Sprecher ohne Überlegung übernommen werden, keine eigenen, originellen Formulierungen, sondern sprachliche Fertigware, die gedankenlos benützt wird. Aber wenn wir so formulieren, dann müssen wir folgern, daß wir fast *nur* Sprachklischees benützen. Es wäre nicht auszudenken, wenn wir ständig originell daherreden wollten: wir müßten die Grüße, die wir austauschen, jedesmal neu erfinden; wir dürften uns keiner Redensart und keiner anderen gängigen Formeln bedienen. Wir sind alle auf *Sprachformeln* angewiesen, ja *Formelhaftigkeit* ist ein Element der Sprache selbst – sonst gäbe es keine Verständigung. Wenn hier mit eher negativem Akzent von Sprachklischees gesprochen wird, so muß also noch etwas anderes gemeint sein. Im Sprachklischee stecken ungedeckte Behauptungen, Feststellungen, die von der Wirklichkeit nicht oder nicht mehr eingelöst werden

können, die vom Sprecher jedoch unversehens und unkontrolliert in die Wirklichkeit hineingetragen werden. Ein Beispiel, das nicht allzuweit vom schönen deutschen Rhein entfernt ist, soll das verdeutlichen.

*Wald* — ist eben *Wald;* selbst einfallsreiche Sprachkünstler kommen von diesem Wort — und das heißt im Grunde: von dieser formelhaften Benennung nicht ohne weiteres los. Und das Wort ist, ob wir wollen oder nicht, unseren Vorstellungen vorgeschaltet: wir erkennen die Erscheinung Wald möglicherweise auch in einem Land, dessen Sprache keinen solchen Sammelbegriff hat, sondern lediglich Bäume, Baumgruppen oder verschiedene »Wald«-Arten unterscheidet. Dieser ebenso einleuchtende wie aufregende Sachverhalt ist schon von Wilhelm von Humboldt in seinem Werk »Über die Verschiedenheit des menschlichen Sprachbaues und ihren Einfluß auf die geistige Entwicklung des Menschengeschlechts« angedeutet, aber erst ein Jahrhundert später entschiedener herausgestellt worden: Leo Weisgerber legte in seinen Werken »die sprachliche Erschließung der Welt« und »das Weltbild der deutschen Sprache« dar, und in Amerika wurde die vergleichbare, nach zwei Sprachforschern benannte »Sapir-Whorf-Hypothese« entwikkelt. Benjamin Lee Whorf benützt den Ausdruck *linguistisches Relativitätsprinzip*, der deutlich macht, daß Denken und Wirklichkeit sich mit den Sprachen verändern. All dies aber gehört zu der Formelhaftigkeit, die zwar jeweils anders, relativ, die aber unvermeidlicher Bestandteil jeder Sprache ist.

Wenn aber nun gesagt wird: der *deutsche Wald*, dann ist damit im allgemeinen nicht eine geographische Umschreibung, etwa für die Gesamtheit der Wälder in der Bundesrepublik, gemeint, sondern dann kommt etwas anderes ins Spiel: der *deutsche Wald* ist etwas Besonderes, etwas romantisch Überhöhtes, etwas Erhabenes und Erhebendes — man hört in dieser Formel das Rauschen alter Eichen und machtvoller Männerchöre. Der *deutsche Wald* wird, um es mit einem Schlagwort zu sagen, als *unverwechselbar* empfunden — dabei wären leicht eindrucksvolle Bilder aus den Tannenwäldern der französischen Côte d'Azur, von den Eichenhainen des englischen Herzogs von Bedford, von den weißrussischen Mischwäldern zu präsentieren, die selbst ein Forstdirektor mit Bildern aus dem Schwarzwald, dem Solling oder den deutschen Jurahöhen verwechseln würde. Der *deutsche Wald* ist ein Sprachklischee.

Der *deutsche Rhein*, der *deutsche Wald* — es wird gut sein, den Irrtum abzuwehren, daß Sprachklischees ausschließlich mit der Ausuferung nationaler Gefühle zu tun hätten. An solchen Beispielen läßt sich allerdings ein wesentliches Prinzip der Bildung von Sprachklischees ableiten: sie stellen sehr oft — den Ausdruck in einem etwas weiteren Sinne genommen — falsche

Gattungsbezeichnungen dar. *Wald* als Gattungsname umfaßt zwar die verschiedensten Bestandteile, ist aber eine botanisch begründete Zusammenfassung. Mit dem *deutschen Wald* aber kommt eine falsche Qualifikation ins Spiel, die keineswegs präzisiert: Wald überhaupt ist deutsch überhaupt, wenn er nur die Bedingung erfüllt, auf deutschem Staats- oder auch nur Sprachboden zu wachsen.

Zum nächsten Beispiel ließe sich zwar eine gefühlvolle Verbindungslinie ziehen; aber es führt doch in einen anderen Bereich. Hier sind einige Passagen aus einem Interview mit der Vorsitzenden des *Tierschutzvereins* einer westdeutschen Großstadt:

»Ich habe den Vorsitz des Tierschutzvereins deshalb übernommen, weil es für mich keine größere und schönere Aufgabe gibt, als den Tieren, die so wahnsinnig hilflos sind und die so ganz auf die Hilfe der Menschen angewiesen sind, zu helfen. Man muß halt da helfen, wo die Not am größten ist. Ich kann an dem Vietnam-Krieg, an Brasilien, an all diesen tausend Dingen, die in der Welt passieren, gar nichts ändern. Aber hier kann ich helfen, hier kann ich dem einzelnen Tier helfen, dem einzelnen Hund, der Katze, dem Affen, dem Vogel. Was soll ich denn machen – weinen, weil es in Brasilien schlecht geht? Selbstverständlich könnte ich auf humanem Sektor auch ein Betätigungsfeld finden, aber da finden sich ja furchtbar viele.«

»Es sind gar nicht viele Menschen schlecht zu Tieren. Der Prozentsatz ist außerordentlich gering. Es ist jetzt gerade eine Umfrage gewesen von irgendeinem demoskopischen Institut, wobei 76 % der Leute Tierquälerei als das schlimmste Vergehen überhaupt hingestellt haben, viel schlimmer als Schlagen der Ehefrau oder sonst was.«

»Was den Fleischverbrauch der Menschen angeht, so ist es natürlich notwendig, daß die tierisches Eiweiß zu sich nehmen. Ich persönlich bin Vegetarierin. Ich würde auch nie ein – sagen wir mal – mir gut bekanntes Huhn essen.«

»Ich habe noch kein Tier erlebt, das falsch wäre, das mich belogen hätte, das mich betrogen hätte; ich habe noch kein Tier gesehen, das aus Rachsucht oder aus Eifersucht oder aus Gewinnsucht insbesondere ein anderes Tier umgebracht hätte. Ich glaube, die Tiere sind aufrichtiger in ihrer Aussage, als die Menschen es sind. Kein Tier lügt, kein Tier betrügt, kein Tier zettelt einen Krieg an. Die Tiere sind sauberer in ihrer Anschauung.«

Um kein Mißverständnis aufkommen zu lassen: es geht hier nicht darum, den Tierschutz lächerlich zu machen. Es ist eine traurige Tatsache, daß sich der Gedanke konsequenten Tierschutzes erst vor wenigen Menschenaltern – als Ergebnis der

Aufklärung – herausgebildet und daß er sich bis heute nicht endgültig und vollständig durchgesetzt hat. Hier geht es um die Art und Weise, wie dieser Gedanke absolut gesetzt wird. Die Feststellung: *Man muß halt da helfen, wo die Not am größten ist* gehört zur Hälfte in die Nachbarschaft des Sprachklischees: *Da kann man nichts machen*; aber hier schlägt die Resignation um in Aktivität. *Der humane Sektor*, mit dem Messer der Verwaltungssprache säuberlich abgetrennt, spielt keine große Rolle – *Schlagen der Ehefrau oder sonst was* ist nicht schlimm –, und diese Meinung wird statistisch, gewissermaßen mit der Berufung auf das *gesunde Volksempfinden*, abgesichert. Dann folgen Sprachklischees, die zu dem von Adorno so benannten »Jargon der Eigentlichkeit« gehören, zu jener Sprache, die ständig »tiefes menschliches Angerührtsein« vorgibt und sich in standardisierten »Edelsubstantiven« wie etwa *Aussage* ergeht. In unseren Zitaten nun werden Klischees wie *aufrichtiger in ihrer Aussage* oder *sauberer in ihrer Anschauung* dem Gesprächspartner als etwas besonders Kostbares serviert; aber der Zusammenhang enthüllt den Klischeecharakter. Diese etwas triefenden menschlichen Qualifikationen werden auf das Tier gemünzt; Tiere sind in diesem Zitat die besten Menschen, die es je gab. Wiederum haben wir es mit einer Gattungscharakteristik zu tun, die mit falschen Mitteln arbeitet.

Von *Vorurteil* war bisher nicht die Rede, und man kann darüber streiten, ob hier der richtige Punkt ist, diesen gewichtigen Begriff einzuführen. In der Vorurteilsforschung wird er nämlich häufig reserviert für ausgesprochen negative und aggressive Urteile, und so gesehen wäre das innige Verhältnis jener Dame zu den ihr gut bekannten Hühnern alles andere als ein Vorurteil. Aber selbst wenn wir uns dieser Begriffsbestimmung unterwerfen, muß hier vom Vorurteil gesprochen werden. Positive Einstellungen, die so gefühlsbesetzt und so zentral sind, können leicht in ihr Gegenteil umschlagen. Vermutlich ist die Sprecherin unseres Beispiels dagegen gefeit: sie braucht diese Einstellung, da sie ihr ein *Betätigungsfeld* garantiert. Aber daß übertriebene Tierliebe und Tierhaß dicht beieinander liegen können, ist bekannt; manchmal erweist es sich schon in der Haltung von Haustierbesitzern gegenüber fremden Tieren. Wichtiger aber ist das Beiseiteschieben und die Abwertung des Humanen, des menschlichen Bereichs. Entwickelt mag sich diese Einstellung so haben, daß Enttäuschungen im menschlichen Bezirk zum Engagement für die Tiere führten; aber dieses heftige Engagement wirkt zurück auf das Urteil über die Menschen und die menschlichen Angelegenheiten. Hier klingt etwas an von dem Zusammenhang, den Max Horkheimer in seiner kleinen Studie über das Vorurteil andeutet: »Zum Geschäft der Demagogen gehört es, edle Losungen zu finden, die zugleich der Feindschaft ein Objekt versprechen«. Anders gesagt: Vorurteile, so teuflisch ihre Auswirkungen sein mögen, präsentieren sich im allgemeinen nicht als böse, sondern verpackt in anerkannte Werte.

Eine Meinungsumfrage zum Thema: »*Stört es Sie, daß Gammler nicht arbeiten?*« ergab unter anderem die folgenden Antworten:

»Nein, das stört mich nicht, die stören mich nicht – bloß weiß ich nicht . . . wenn die hier alle so rumsitzen, nicht . . .«

»Ja, ich würde sagen: Ja, das stört mich, also im Grunde genommen müßte ja jeder ein bißchen seiner Arbeit nachgehen, meine ich jedenfalls.«

»Nee, mich stört gar nichts.«

»Das stört mich ganz gewaltig. Ich würde dafür sein, daß sie ein bißchen arbeiten gehen, nicht wahr, denn von was wollen die denn später leben, wie denken die denn dann nachher, wenn sie älter werden?«

»Ja, es wird Zeit, daß die arbeiten gehen, dann brauchen wir nicht so viele Ausländer!«

»Ja, sicher, ja, weil ich finde, jeder normale Mensch muß arbeiten – als Gammler oder als Nicht-Gammler. Aber das ist nicht gegen die Gammler persönlich, arbeiten muß jeder!«

»Nein, überhaupt nicht – solange sie sich waschen!«

»Ja, aber man weiß ja, wohin das führt, nicht? Da war ja heut wieder ein großer Vortrag im Rundfunk, wohin das führt . . . Das ist doch klar. Meinen Sie, das ist gut vielleicht – für den Verstand und für den Geist?«

»Ich sag, solange ein Gammler sich selber fortbringt und andere öffentliche Institutionen irgendwie überhaupt nicht belastet usw., kann er ein Gammler sein, wie er mag. Zum Beispiel der Sachs kann ohne weiteres ein Gammler sein, weil der hat Millionen – der kann ein Gammler sein. Aber sobald er der öffentlichen Fürsorge zur Last fällt, sobald er irgendwie etwas verbricht oder auch die Öffentlichkeit stört, ist für mich ein Gammler eben einer, der wo weg gehört, und so wie es im Dritten Reich gewesen ist, da haben wir die Burschen von der Straße weg gehabt, da hat's kein Bettler mehr gegeben, da hat's kein Gammler gegeben usw., und das möchten wir wieder haben, auch wenn's eine Demokratie ist, und damals war's eine Diktatur – aber Gammler braucht man nicht, die sind so überflüssig wie ein Kropf.«

»Das ist auch meine Meinung. Aber wenn ein Mann kriegsbeschädigt ist und er kann nicht mehr arbeiten, da hab ich gar nichts dagegen, daß der Unterstützung kriegt. Aber für so faule Leute, die zu faul sind, ein bißchen Arbeit zu finden, wo die so kräftig sind – da sollten die alle eingesperrt werden, aber gleich für 20 Jahre. Wenn der Hitler gelebt hätte, der hätte die alle auf die Seite gemacht. Das ist meine Meinung, jawohl, genau ist das meine Meinung.«

Schon die erste dieser Antworten ist außerordentlich aufschlußreich. In ihrer ersten Hälfte bleibt sie gewissermaßen abstrakt, und da scheint keine Spur von irgendeinem Vorurteil zu sein. Da Meinungsumfragen fast immer diesen abstrakten Charakter haben, sind ihre oft so beruhigenden Ergebnisse in Fragen des Vorurteils von vornherein skeptisch zu bewerten; die theoretische Stellungnahme ist *eine* Sache, die Haltung im ›Ernstfall‹ eine *andere*. In jener Antwort allerdings taucht – in der zweiten Hälfte – zögernd, aber unverkennbar die negative Einschätzung auf. Sie ist nicht ausformuliert, aber gerade dies legt einiges vom Mechanismus der Vorurteile frei: – *wenn die da so rumsitzen* . . . – daraus spricht Unsicherheit, vielleicht sogar Angst, neben der Enttäuschung eine der wichtigsten Voraussetzungen für die Bildung von Vorurteilen; und hier wird auch der Trennungsstrich deutlich zwischen »denen«, die fremd und ungewohnt sind, und den anderen, die sich mit betontem Wir-Gefühl von ihnen absetzen. Nicht als einzelne werden *die* betrachtet, sondern als eine Einheit. Freilich ist dies vorgegeben in der Frage des Interviewers, ja eigentlich schon im Begriff *Gammler*, der sich nach dem Zweiten Weltkrieg ausbreitete und der zuerst wahrscheinlich eine Selbstcharakteristik war, ehe sich die Kritiker darauf einschossen. Jedenfalls handelt es sich um ein Schwamm- oder Saugwort, an dem vieles haftenbleibt – nicht zuletzt auch die Liste verbrecherischer Taten, die sich aus in der Presse berichteten Einzelfällen zusammensetzt. Deshalb können die Folgen als sicher und als allgemein bekannt vorausgesetzt werden: *man weiß ja, wohin das führt!*

Den Hintergrund der Kritik bilden auch hier positive Werte, die undiskutiert bleiben, weil sie ganz unmittelbar zum »Normalen« und das heißt: zum Gewohnten gehören. Man kann diese Werte in den Begriffen *Arbeit* und *Ordnung* zusammenfassen. Sie werden um so nachhaltiger betont, je entschiedener die Aggression, die Angriffslust wird; sie funktionieren deshalb so gut als positiver Hintergrund, weil es ihrerseits Schwammbegriffe sind. Zu den Verstößen gegen die normale Ordnung gehören nicht nur das der-Fürsorge-zur-Last-fallen und kriminelle Akte, auch wer *die Öffentlichkeit stört* (und hier wird weder Öffentlichkeit noch Störung näher bestimmt), ist *einer, der wo weg gehört*. Hier bricht die Brutalität des Vorurteils durch; das Sprachbild *überflüssig wie ein Kropf* wirkt in diesem Umkreis nicht lustig, sondern verrät das Ausmaß der Aggression – auch wenn sich die Sprecher normalerweise die Finger nicht blutig machen, sondern nur wünschen, es käme einer wie Hitler, der *die alle auf die Seite gemacht hätte*.

Es muß freilich gesagt werden, daß weder die Auswahl der Befragten noch die Auswahl der hier zitierten Antworten repräsentativ ist. Solche Ausbrüche sind selten; viele bemühen sich um Toleranz, und es wäre ein Vorurteil zu unterstellen, daß es sich dabei grundsätzlich nur um folgenlose Lippenbekenntnisse handelt. Wichtig aber ist es zu erkennen, wie rasch sich distanzierte Toleranz, die nichts kostet, verflüchtigen kann und wie schnell sich kaum merkliche Keime des Vorurteils zu tödlicher Aggressivität auswachsen.

*Max Frisch* hat dies in seinem Stück »*Andorra*« beispielhaft konstruiert. Andri, unehelicher Sohn des Lehrers, wird von der Bevölkerung für ein vom Lehrer aufgenommenes jüdisches Pflegekind gehalten. Dies bestimmt die Vorstellungen, Erwartungen, Einstellungen. Der Tischler möchte Andri nicht in die Lehre nehmen, weil der es *nicht im Blut hat*. Der Wirt sucht den Lehrer zu beruhigen, aber auch für ihn ist Andri *nicht wie die anderen*, er ist eine – fürs erste: positive – Ausnahme:

WIRT: Man soll sich nicht ärgern über die eigenen Landsleute, das geht auf die Nieren und ändert die Landsleute gar nicht. Natürlich ist's Wucher! Die Andorraner sind gemütliche Leut, aber wenn es ums Geld geht, das hab ich immer gesagt, dann sind sie wie der Jud. *Der Wirt will gehen.*

LEHRER: Woher wißt ihr alle, wie der Jud ist?

WIRT: Can –

LEHRER: Woher eigentlich?

WIRT: – ich hab nichts gegen deinen Andri. Wofür hältst du mich? Sonst hätt ich ihn wohl nicht als Küchenjunge genommen. Warum siehst du mich so schief an? Ich hab Zeugen. Hab ich nicht bei jeder Gelegenheit gesagt, Andri ist eine Ausnahme?

LEHRER: Reden wir nicht davon!

WIRT: Eine regelrechte Ausnahme –

Der Doktor gebraucht die Redewendung: *daß jeder Jud' in den Boden versinkt* – scheinbar als leere Formel. Aber es zeigt sich, daß dieses Sprachklischee all die Ressentiments und Vorurteile in sich zusammenfaßt, die sich bei dem beruflich erfolglosen Arzt angesammelt haben:

ANDRI: Wieso – soll der Jud – versinken im Boden?

DOKTOR: Wo habe ich sie bloß. *Der Doktor kramt in seinem Köfferchen.* Das fragst du, mein junger Freund, weil du noch nie in der Welt gewesen bist. Ich kenne den Jud. Wo man hinkommt, da hockt er schon, der alles besser weiß, und du, ein schlichter Andorraner, kannst einpacken. So ist es doch. Das Schlimme am Jud ist sein Ehrgeiz. In allen Ländern der Welt hocken sie auf allen Lehrstühlen, ich hab's erfahren, und unsereinem bleibt nichts andres übrig als die Heimat. Dabei habe ich nichts gegen den Jud. Ich bin nicht für Greuel.

Auch ich habe Juden gerettet, obschon ich sie nicht riechen kann. Und was ist der Dank? Sie sind nicht zu ändern. Sie hocken auf allen Lehrstühlen der Welt. Sie sind nicht zu ändern. *Der Doktor reicht die Pillen.*

Der Arzt entschuldigt sich, geht; aber eine Verschiebung in der politischen Lage des kleinen Landes läßt den Antisemitismus immer offener zutage treten. Der Pater hält zunächst zu Andri, aber er stülpt das Vorurteil nur um, sagt zu Andri, er sei ein Prachtskerl *in seiner Art* – er gefällt ihm, *grad weil er anders ist als alle*, weil er *mehr Verstand hat als Gefühl.* Andri selber übernimmt mehr und mehr die Rolle, die alle ihm zuweisen: »Seit ich höre, hat man mir gesagt, ich sei anders, und ich habe geachtet drauf, ob es so ist, wie sie sagen. Und es ist so, Hochwürden: Ich bin anders. Man hat mir gesagt, wie meinesgleichen sich bewege, nämlich so und so, und ich bin vor den Spiegel getreten fast jeden Abend. Sie haben recht: Ich bewege mich so und so. Ich kann nicht anders.« Und er wehrt schließlich, kurz ehe er den fremden Schergen zum Opfer fällt, den eigenen Vater ab mit den Worten: »Das verstehst du nicht, weil du kein Jud bist –«.

Die Absage an das Vorurteil über die Juden ist – heute, in der Bundesrepublik – nicht allzu schwierig. Viele tragen ihre angebliche Vorurteilslosigkeit in diesem Punkt vor sich her als Beweis für Vorurteilslosigkeit überhaupt. Aber es ist offenkundig, daß sich die Vorurteile wenigstens zum Teil verlagert haben. Noch immer gibt es Bevölkerungsgruppen in der Bundesrepublik, denen die Mehrzahl der Leute keineswegs mit der Selbstverständlichkeit begegnen, die sonst den alltäglichen Umgang charakterisiert. Schon die sprachliche Zusammenfassung solcher Gruppen ist ein Ausdruck und Nährboden von Vorurteilen: *die Gastarbeiter*, heißt es – oder auch vereinheitlicht: *die Türken*, weil bei dieser Gruppe von Arbeitsimmigranten das Anderssein am offenkundigsten ist; von *den Schwarzen* ist die Rede, und manchmal auch von *den Negern*, wobei die Sprecher allerdings meistens merken, daß sie danebengegriffen haben. Auch fragwürdige Vereinfachungen und Zusammenfassungen politischer Art sind im Umlauf: *die Kommunisten* oder auch *die Studenten*, was nicht ganz selten heißen soll: die demonstrierenden und randalierenden Studenten.

Sieht man von aktuellen und meistens sehr begrenzten Zusammenstößen ab, so begegnen die Vorurteile allerdings nur in einer wenig entfalteten, harmlosen oder zumindest harmlos erscheinenden Form. Indem man sie auf der untersten Stufe einer Entwicklungsskala ansiedelt, hat man sie allerdings nur zur Hälfte richtig eingeschätzt. Es hat den Anschein, daß sich in der Struktur und der Funktion von Vorurteilen insgesamt einiges geändert hat. Es gibt zwar mitunter noch drastische Beschimpfungen — als der WDR im Jahr 1970 in einem Preisausschreiben vergeblich eine neue eingängige Bezeichnung für »Gastarbeiter« suchte, waren unter 32 000 Zuschriften immerhin nahezu 400, die plumpe Schimpfwörter und Schmähungen enthielten; und verletzende Namensentstellungen wie *Itaker, Nigger, Japsen* sind nicht ganz selten auch zu *hören*. Was aber fast völlig fehlt, sind die handfesten Begründungen, die früher sehr viel häufiger mit Vorurteilen verbunden waren. Das biologische — in zahlreichen Versuchen als falsch erwiesene — Argument, schon ein weißes Kind fühle sich von einem Schwarzen abgestoßen, weil es ihn buchstäblich *nicht riechen könne*, wurde bei einer Umfrage über das Verhältnis zu Farbigen auffallenderweise von niemand erwähnt, sondern höchstens hinter Wendungen wie *eine gewisse Abneigung* versteckt. Die meisten Befragten jedoch sprachen davon, daß es ja *auch unter den Farbigen anständige Leute* gebe oder daß dies doch *auch Menschen sind* — in beiden Fällen wird auf seltsame Weise gerade durch die angebliche Gleichstellung deutlich, wie groß der Abstand ist.

Dies ist symptomatisch. Vorurteile waren früher in sehr viel stärkerem Maße aktive Versuche der Weltdeutung, gekoppelt oft mit ausgeprägten *Weltanschauungen* oder *Ideologien*, die alles zu erfassen suchten. Heute sind Vorurteile eher und häufiger *passiver Ausdruck* der *Distanz* und der *Abwehr*. Selbst bei der vorurteilhaften Einstellung gegenüber politischen Gruppen wird dies deutlich. Es sind gar nicht eigentlich politische Gegner, gegen die man sich wendet; die Vorurteile machen die programmatische Auseinandersetzung nicht nur klobig und undifferenziert, wie das schon immer war — mit Hilfe dieser Vorurteile wird die Auseinandersetzung jetzt im Grunde häufig vermieden. Nicht die ›falsche‹ Weltdeutung der anderen wird angegriffen, sondern man distanziert sich von ihnen, weil sie die eigenen Kreise stören könnten. Das Vorurteil ist heute weniger öffentlich, es ist *privater* geworden.

Vorurteile entstehen freilich nicht unabhängig von den öffentlichen Dingen und der *öffentlichen Meinung*. Die Abhängigkeit ist doppelter Art. Auf der einen Seite sind die wirtschaftlichen, politischen, wissenschaftlichen Strukturen so kompliziert und unüberschaubar geworden, daß dies dem einzelnen nicht nur den Verzicht auf umfassende Deutung nahelegt, sondern daß er ständig zur Vereinfachung gezwungen ist, wenn er überhaupt zu allgemeineren Fragen etwas sagt. In komplizierten Verhältnissen ist Simplifizierung eine Vorbedingung des Miteinandersprechens — oder, in Adenauers schiefer Grammatik: »Je einfacher denken ist eine wertvolle Gabe Gottes.« Die komplizierte Maschinerie der heutigen Gesellschaft hält auf der anderen Seite aber auch schon die Spezialisten für diese

Vereinfachung bereit, und das meiste von dem, was als Volksmeinung in demoskopischen Umfragen erfaßt wird, steht vorher als Schlagzeile, als Werbung, als Bildunterschrift in den großen Boulevardblättern.

Die Sprachklischees und mit ihnen viele Vorurteile sind also heute großenteils Ausdruck des »Ticketdenkens«, das von einem Teil der Massenmedien beliefert wird; sie sind, wie man in Anlehnung an die kindliche Sprachentwicklung gesagt hat, bloße *Echosprache.* Diese Echosprache ist dadurch charakterisiert, daß sie nur immer Fetzen aufnimmt und wiedergibt – in diesem Fall etwas größere Fetzen als die kindliche Echosprache, aber doch ohne daß begründete Hoffnung bestünde, daraus könne ein Ganzes, etwas wie vernünftige Deutung und Begründung unserer Welt werden. Dieser Mangel aber wird vor allem deshalb nicht sichtbar, weil diese Echosprache eine Reihe von *Sprachklischees* mit erzeugt, die Nähe, Verständnis, Überschaubarkeit vorspiegeln.

Der tschechische Dramatiker *Václav Havel* bleibt mit seinen auch in Deutschland gespielten Stücken dicht an der Sprache. In der »Benachrichtigung« schildert er, wie die Konstruktion einer neuen, völlig exakten Verwaltungssprache mit dem geheimnisvollen Namen *Ptydepe* schlagartig die politische Landschaft verändert. Im »Gartenfest« aber zeigt er, wie die Undurchdringlichkeit bürokratischer Ordnung und bürokratischer Sprache versteckt wird hinter einer Kulisse leerer, floskelhafter Reden. Das »Amt für Auflösung« feiert sein Gartenfest, und einer der Funktionäre wird nicht müde, den Betroffenen zu schildern, wie zwanglos es zugeht:

> »Wißt ihr – ich habe dafür so irgendwie den einfachen menschlichen Ton genommen, um das hier ein wenig in Schwung zu bringen! Ich habe ihn mir allerdings nicht ausgesucht – er ist mir einfach schon so irgendwie gegeben. Ich ertrage nämlich keine Phrasen und Überspitzungen und bin gegen jedes leere Gerede. Das kommt so irgendwie schon aus meiner Veranlagung: Ich bin nämlich alles in allem ein ganz gewöhnlicher Mensch aus Fleisch und Blut – einfach, wie man sagt, einer von euch!«

Nicht nur das verräterisch ungenaue *irgendwie,* auch *Mensch* und *menschlich* sind Leitwörter in dieser langen Rede, von der hier nur ein ganz kurzer Ausschnitt zitiert ist. Sie werden benutzt als versöhnende Dachbegriffe: darunter kann sich nichts Böses tun; alles ist in Ordnung. Versteht man den Begriff Vorurteil in der herkömmlichen Weise, dann lassen sich solche Äußerungen nicht leicht als Vorurteil interpretieren. Aber es scheint, daß solche sprachlichen *Beschwichtigungsklischees* manches von den Funktionen des Vorurteils übernommen haben; wie jene sichern sie die wesentlichen Zielsetzungen und Vorgänge politischer und gesellschaftlicher Art ab. Noch immer richtet verbreitete Sprachkritik ihr Hauptaugenmerk auf vereinzelte Wortbildungen wie *Krankenmaterial,* welche die »Entpersönlichung« unmittelbar kennzeichnen. Aber ist ein Wort wie *Krankengut* nicht viel verräterischer, und kann sich nicht selbst hinter *Betreuung* und ähnlichen Vokabeln handfeste Lenkung und Steuerung verbergen?

Sprachen sind ein Spiegel der Gesellschaft; aber wer diese ganz direkt in dem Spiegel fassen möchte, gleitet an seiner glatten Oberfläche ab. Sprachen sind – und davon sollte in diesem Büchlein insgesamt die Rede sein – nicht leicht durchschaubar; eben deshalb können sie oft so raffiniert gehandhabt werden.

# Literaturhinweise

## *Einleitung*

Edward Sapir, *Die Sprache*. München 1961.
Ferdinand de Saussure, *Grundfragen der allgemeinen Sprachwissenschaft*. Berlin ²1967.
Hugo Moser, *Deutsche Sprachgeschichte*. Tübingen ⁶1969.
Noam Chomsky, *Sprache und Geist*. Frankfurt a. M. 1970.
Dieter Wunderlich (Hg.), *Linguistische Pragmatik*. Frankfurt a. M. 1972.
Aaron V. Cicourel, *Sprache in der sozialen Interaktion*. München 1975.
Joshua A. Fishman, *Soziologie der Sprache*. München 1975.
Peter von Polenz, *Geschichte der deutschen Sprache*. Berlin ⁹1978.
Eugenio Coseriu, *Sprache. Strukturen und Funktionen*. Tübingen ³1979.
Thomas Luckmann, *Soziologie der Sprache*. In: Handbuch der empirischen Sozialforschung, hg. von René König. 13. Bd. Stuttgart ²1979, S. 1–116.
Peter Braun, *Tendenzen in der deutschen Gegenwartssprache*. Stuttgart etc. 1979.
Dell Hymes, *Soziolinguistik. Zur Ethnographie der Kommunikation*. Frankfurt a. M. 1979.
William Labov, *Sprache im sozialen Kontext*. Königstein 1980.
*Lexikon der Germanistischen Linguistik*, hg. von Hans Peter Althaus, Helmut Henne, Herbert Ernst Wiegand. Tübingen ²1980.
Matthias Hartig, *Sprache und sozialer Wandel*. Stuttgart etc. 1981.
Hugo Steger (Hg.), *Soziolinguistik*. Darmstadt 1982.

## *Landkarte der deutschen Sprache*

*Deutscher Sprachatlas*, hg. von Walther Mitzka. Marburg 1926 ff.
Adolf Bach, *Deutsche Mundartforschung. Ihre Wege, Ergebnisse und Aufgaben*. Heidelberg ²1950.
*Deutscher Wortatlas*, hg. von Walther Mitzka und Ludwig Erich Schmitt. Marburg 1951 ff.
Walther Mitzka, *Handbuch zum Deutschen Sprachatlas*. Marburg 1952.
Hugo Moser, *Sprachgrenzen und ihre Ursachen*. In: Zeitschrift für Mundartforschung 22/1954, S. 87–111.
Robert Bruch, *Sprache und Geschichte*. In: Zeitschrift für Mundartforschung 24/1956, S. 129–150.
Ulrich Engel, *Die Auflösung der Mundart*. In: Muttersprache 71/1961, S. 129–135.

Viktor M. Schirmunski, *Deutsche Mundartkunde*. Berlin 1962.
Gerhard Hard, *Zur Mundartgeographie. Ergebnisse, Methoden, Perspektiven*. Düsseldorf 1966.
Jan Goossens, *Strukturelle Sprachgeographie. Eine Einführung in Methodik und Ergebnisse*. Heidelberg 1969.
*Kleine Enzyklopädie: Die deutsche Sprache*. Hg. von Erhard Agricola, Wolfgang Fleischer und Helmut Protze. 2 Bde. Leipzig 1969.
Arno Ruoff, *Grundlagen und Methoden der Untersuchung gesprochener Sprache*. Tübingen 1973.
Heinrich Löffler, *Probleme der Dialektologie*. Darmstadt 1974.
Walter Haas, *Sprachwandel und Sprachgeographie*. Wiesbaden 1978.
Werner König, *dtv-Atlas zur deutschen Sprache*. München 1978.
Eugenio Coseriu, *Die Sprachgeographie*. Tübingen [2]1979.
Joachim Göschel, Pavle Ivić, Kurt Kehr (Hg.), *Dialekt und Dialektologie*. Wiesbaden 1980.
*Dialektologie. Ein Handbuch zur deutschen und allgemeinen Dialektforschung*, hg. von Werner Besch u. a., Berlin, New York 1982 ff.
Peter Wiesinger, *Probleme der Dialektgliederung des Deutschen*. In: ZDL 49/1982, S. 145–168.
Hermann Niebaum, *Dialektologie*. Tübingen 1983.

*Vom deutschen »Stammescharakter«*

Friedrich Engels, *Anmerkung: Der fränkische Dialekt*. In: Marx Engels Werke 19. Bd. Berlin 1969, S. 494–518.
H. Aubin, Th. Frings, J. Müller, *Kulturströmungen und Kulturprovinzen in den Rheinlanden*. Bonn 1926.
Franz Steinbach, *Studien zur westdeutschen Stammes- und Volksgeschichte*. Darmstadt [2]1962.
Friedrich Maurer, *Oberrheiner, Schwaben, Südalemannen*. Straßburg 1942.
Willy Hellpach, *Deutsche Physiognomik*. Berlin 1942.
Hugo Moser, *Stamm und Mundart*. In: Zeitschrift für Mundartforschung 20/1952. S. 129–145.
Herbert Schöffler, *Kleine Geographie des deutschen Witzes*. Göttingen 1955.
Ernst Schwarz, *Germanische Stammeskunde*. Heidelberg 1956.
Theodor Frings, *Sprache und Geschichte*. 2 Bde. Halle 1956.
Rudolf Schützeichel, *Mundart, Urkundensprache und Schriftsprache. Studien zur Sprachgeschichte am Mittelrhein*. Bonn 1960.
Hugo Moser, *Noch einmal: Stamm und Mundart*. In: Zeitschrift für Mundartforschung 28/1961, S. 32–43.
Jürgen Macha, *Überlegungen zur regionalen Gebundenheit von*

*Dialekt-Bewertungen*. In: Wolfgang Kühlwein, Albert Raasch (Hg.), Stil: Komponenten, Wirkungen. Bd. II. Tübingen 1981, S. 59–63.
Hermann Bausinger, *Volkskunde. Von der Altertumsforschung zur Kulturanalyse*. Tübingen [3]1982.

*Hochdeutsch und was darunter ist*

Philipp Wegener, *Über deutsche Dialectforschung*. In: Zeitschrift für deutsche Philologie 11/1880, S. 450–480.
Hermann Wunderlich, *Unsere Umgangssprache in der Eigenart ihrer Satzfügung*. Weimar und Berlin 1894.
Karl Voßler, *Über das Verhältnis von Sprache und Nationalgefühl*. In: Die neuen Sprachen 26/1919, S. 1–14.
Thomas Mann: *Lübeck als geistige Lebensform*. Lübeck 1926.
Konrad Zwierzina, *Schriftsprache als Mundart*. Graz 1930.
Walter Henzen, *Schriftsprache und Mundarten und ihre Zwischenstufen im Deutschen*. Bern [2]1954.
Paul Zinsli, *Hochsprache und Mundarten in der deutschen Schweiz*. In: Der Deutschunterricht 8/1956, Heft 2, S. 61–72.
Klaus Baumgärtner, *Zur Syntax der Umgangssprache in Leipzig*. Berlin 1959.
Hellmut Geißner, *Soziale Rollen als Sprechrollen*. In: Kongreßbericht Allgemeine und angewandte Phonetik. Hamburg 1960, S. 194–204.
Friedhelm Debus, *Zwischen Mundart und Hochsprache. Ein Beitrag zur Stadtsprache*. In: Zeitschrift für Mundartforschung 29/1962, S. 1–43.
Ulrich Engel, *Schwäbische Mundart und Umgangssprache*. In: Muttersprache 72/1962, S. 257–261.
Heinz Zimmermann, *Zu einer Typologie des spontanen Gesprächs. Syntaktische Studien zur baseldeutschen Umgangssprache*. Bern 1965.
Hermann Bausinger, *Bemerkungen zu den Formen gesprochener Sprache*. In: Satz und Wort im heutigen Deutsch. Düsseldorf 1966, S. 292–312.
Martin Walser, *Bemerkungen über unseren Dialekt*. In: Heimatkunde. Aufsätze und Reden. Frankfurt 1968, S. 51–57.
Rudolf Schwarzenbach, *Die Stellung der Mundart in der deutschsprachigen Schweiz*. Frauenfeld 1969.
Ulrich Ammon, *Dialekt und Einheitssprache in ihrer sozialen Verflechtung*. Weinheim, Berlin, Basel 1973.
Gerd Schank/Gisela Schoenthal, *Gesprochene Sprache. Eine Einführung in Forschungsansätze und Analysemethoden*. Tübingen 1976.
Hartmut Kubczak, *Was ist ein Soziolekt?* Heidelberg 1979.
Rainer Rath, *Kommunikationspraxis*. Göttingen 1979.

Klaus J. Mattheier, *Pragmatik und Soziologie der Dialekte*. Heidelberg 1980.
Werner Besch (Hg.), *Sprachverhalten in ländlichen Gemeinden*. Berlin 1981 ff.
*Handbuch der Phraseologie*, hg. von Harald Burger, Annelies Buhofer, Ambros Sialm. Berlin, New York 1982.
Walter Schenker, *Medienkonsum und Sprachverhalten*. Frankfurt a. M. 1982.
Gunter Senft, *Sprachliche Varietät und Variation im Sprachverhalten Kaiserslauterer Metallarbeiter*. Bern, Frankfurt a. M. 1982.

*Das Pygmalionproblem*

Theodor W. Adorno, *Theorie der Halbbildung*. In: Soziologie und moderne Gesellschaft. Stuttgart 1959, S. 169–191.
Hermann Bausinger, *Volkskultur in der technischen Welt*. Stuttgart 1961.
John J. Gumperz, *Linguistic and Social Interaction in Two Communities*. In: The Ethnography of Communication (American Anthropologist 66/1964), S. 137–153.
Joachim Stave, *Der Ruhrdeutsche*. In: Muttersprache 74/1964, S. 272–281.
Oskar Negt, *Soziologische Phantasie und exemplarisches Lernen. Zur Theorie der Arbeiterbildung*. Frankfurt ²1971.
Kurt Baldinger, *Zum Einfluß der Sprache auf die Vorstellungen des Menschen. (Volksetymologie und semantische Parallelverschiebung.)* Heidelberg (Akademie der Wiss., Phil.-hist. Klasse) 1973.
Doris Mathias, Hans-Dieter Fischer, *»Bleibense Mensch!« – Spricht Adolf Tegtmeier restringiert?* In: Muttersprache 87/1977, S. 281–301.
P. Sture Ureland (Hg.), *Sprachvariation und Sprachwandel*. Tübingen 1980.

*Sprachbarrieren*

Wulf Niepold, *Sprache und soziale Schicht*. Berlin ³1971.
Basil Bernstein, *Studien zur sprachlichen Sozialisation*. Düsseldorf 1972.
Ulrich Oevermann, *Sprache und soziale Herkunft. Ein Beitrag zur Analyse schichtenspezifischer Sozialisationsprozesse und ihrer Bedeutung für den Schulerfolg*. Frankfurt a. M. 1972.
Ulrich Ammon, *Dialekt, soziale Ungleichheit und Schule*. Weinheim–Berlin–Basel ²1973.
Wolfgang Klein, Dieter Wunderlich (Hg.), *Aspekte der Soziolinguistik*. Frankfurt a. M. ³1973.
Norbert Dittmar, *Soziolinguistik*. Frankfurt a. M. 1973.

*Dialekt als Sprachbarriere?* Tübingen 1973.
Brigitte Schlieben-Lange, *Soziolinguistik*. Stuttgart 1973.
Gerhard Kiefer, *Analyse einer Kommunikationsbarriere*. Tübingen 1974.
Gerd Simon, *Bibliographie zur Soziolinguistik*. Tübingen 1974.
Basil Bernstein (Hg.), *Sprachliche Kodes und soziale Kontrolle*. Düsseldorf 1975.
Eva Neuland, *Sprachbarrieren oder Klassensprache?* Frankfurt a. M. 1975.
Brigitte Schlieben-Lange, *Linguistische Pragmatik*. Stuttgart etc. 1975.
Joachim Hasselberg, *Dialekt und Bildungschancen*. Weinheim, Basel 1976.
Michael Ort, *Sprachverhalten und Schulerfolg*. Weinheim, Basel 1976.
Wolfgang Steinig, *Soziolekt und soziale Rolle*. Düsseldorf 1976.
Klaus-Jürgen Tillmann, *Unterricht als soziales Erfahrungsfeld*. Frankfurt a. M. 1976.
*Dialekt / Hochsprache – Kontrastiv. Sprachhefte für den Deutschunterricht*, hg. von Werner Besch, Heinrich Löffler und Hans H. Reich. Düsseldorf ab 1977.
Ulrich Ammon, *Probleme der Soziolinguistik*. Tübingen [2]1977.
Dieter Cherubim (Hg.), *Fehlerlinguistik. Beiträge zum Problem der sprachlichen Abweichung*. Tübingen 1980.
Matthias Hartig (Hg.), *Angewandte Soziolinguistik*. Tübingen 1981.

*Lernsprache*

Claire und William Stern, *Die Kindersprache*. Leipzig [4]1928.
Martin Keilhacker, *Winke zu sprachpsychologischen Beobachtungen an Schulkindern*. In: Pädagogische Warte 41 / 1934, S. 181 bis 187.
Roman Jakobson, *Kindersprache, Aphasie und allgemeine Lautgesetze*, Frankfurt a. M. 1969.
Peter M. Roeder u. a., *Sozialstatus und Schulerfolg. Bericht über empirische Untersuchungen*. Heidelberg 1965.
Regine Reichwein, *Sprachstruktur und Sozialschicht*. In: Soziale Welt 18 / 1967, S. 309–330.
Michael Clyne, *Zum Pidgin-Deutsch der Gastarbeiter*. In: Zeitschrift für Mundartforschung 35 / 1968, S. 130–139.
Friedrich Kainz, *Die Sprachentwicklung im Kindes- und Jugendalter*. München 1970.
Dieter Spanhel, *Die Sprache des Lehrers. Grundformen des didaktischen Sprechens*. Düsseldorf 1971.
Detlef C. Kochan (Hg.), *Sprache und kommunikative Kompetenz*. Stuttgart 1973.

Hans Bühler, Günter Mühle (Hg.), *Sprachentwicklungspsychologie*. Weinheim–Basel 1974.

Wolfgang Eichler, Adolf Hofer (Hg.), *Spracherwerb und linguistische Theorien*. München 1974.

Heinrich Roth (Hg.), *Begabung und Lernen. Ergebnisse und Folgerungen neuerer Forschungen*. Stuttgart [9]1974.

Lew Semjonowitsch Wygotski, *Denken und Sprechen*. Frankfurt a. M. 1974.

Irmgard Bock, *Das Phänomen der schichtspezifischen Sprache als pädagogisches Problem*. Darmstadt [2]1975.

Hans Ramge, *Spracherwerb. Grundzüge der Sprachentwicklung des Kindes*. Tübingen [2]1975.

Alfred Lorenzer, *Sprachspiel und Interaktionsformen*. Frankfurt a. M. 1977.

A. R. Lurija/F. Ja. Judowitsch, *Die Funktion der Sprache in der geistigen Entwicklung des Kindes*. Düsseldorf [4]1977.

Els Oksaar, *Spracherwerb im Vorschulalter. Einführung in die Pädolinguistik*. Stuttgart etc. 1977.

Bernd Ulrich Biere, *Kommunikation unter Kindern*. Tübingen 1978.

Wolfgang Kühlwein, Günter Radden (Hg.), *Sprache und Kultur: Studien zur Diglossie, Gastarbeiterproblematik und kulturellen Integration*. Tübingen 1978.

Marija Orlović-Schwarzwald, *Zum Gastarbeiterdeutsch jugoslawischer Arbeiter im Rhein-Main-Gebiet*. Wiesbaden 1978.

Hans Hörmann, *Einführung in die Psycholinguistik*. Darmstadt 1981.

Manfred Pienemann, *Der Zweitspracherwerb ausländischer Arbeiterkinder*. Bonn 1981.

Gerhart Wolff, *Sprechen und Handeln. Pragmatik im Deutschunterricht*. Königstein 1981.

*Expertendeutsch*

E. Göpfert, *Die Bergmannssprache in der Sarepta des Johann Mathesius*. Straßburg 1902.

Friedrich Maurer, *Zur Handwerkersprache*. In: Deutsche Wortgeschichte (= Grundriß der germanischen Philologie Bd. 17, III). Berlin 1943, S. 135–157.

Ernst Graf von Harrach, *Die Jagd im deutschen Sprachgut. Wörterbuch der Waidmannssprache*. Stuttgart 1953.

Lutz Mackensen, *Sprache und Technik*. Lüneburg 1954.

Wilfried Seibicke, *Fachsprache und Gemeinsprache*: In: Muttersprache 69/1959, S. 70–84.

Hans Ischreyt, *Studien zum Verhältnis von Sprache und Technik. Institutionelle Sprachlenkung in der Terminologie der Technik*. Düsseldorf 1965.

Wolfgang Steinitz, *Jäger-, Tabusprache und Argot.* In: To Honor Roman Jakobson. Essays on the Occasion of his 70th Birthday. 3. Bd. The Hague–Paris 1967, S. 1918–1925.

Dieter Möhn, *Fach- und Gemeinsprache. Zur Emanzipation und Isolation der Sprache.* In: Wortgeographie und Gesellschaft (hg. von Walther Mitzka). Berlin 1968, S. 315–348.

Helmut Gipper, *Zur Problematik der Fachsprachen. Ein Beitrag aus sprachwissenschaftlicher Sicht.* In: Festschrift für Hugo Moser zum 60. Geburtstag. Düsseldorf 1969, S. 66–81.

Hildegard Wagner, *Die deutsche Verwaltungssprache der Gegenwart.* Düsseldorf 1970.

Eugen Wüster, *Internationale Sprachnormung in der Technik.* Bonn [3]1970.

Lutz Mackensen, *Die deutsche Sprache in unserer Zeit.* Heidelberg [2]1971.

Eduard Beneš, *Fachtext, Fachstil und Fachsprache.* In: Sprache und Gesellschaft (= Sprache der Gegenwart Bd. 13). Düsseldorf 1971, S. 118–132.

Leo Weisgerber, *Die Muttersprache im Aufbau unserer Kultur.* Düsseldorf [3]1971.

János S. Petöfi u. a. (Hg.), *Fachsprache – Umgangssprache.* Kronberg 1975.

Peter Zürrer, *Wortfelder in der Mundart von Gressoney.* Frauenfeld 1975.

Karl-Heinz Bausch, Wolfgang H. U. Schewe, Heinz-Rudi Spiegel, *Fachsprachen. Terminologie, Struktur, Normung.* Berlin, Köln 1976.

Hermann Bausinger, *Sprachschranken vor Gericht.* In: Konrad Köstlin, Kai Detlev Sievers (Hg.), Das Recht der kleinen Leute. Berlin 1976, S. 12–27.

Hans-Rüdiger Fluck, *Fachsprachen.* München 1976.

Lothar Hoffmann, *Kommunikationsmittel Fachsprache.* Berlin 1976.

Els Oksaar, *Berufsbezeichnungen im heutigen Deutsch.* Düsseldorf 1976.

Wolfgang Mentrup (Hg.), *Fachsprachen und Gemeinsprache.* Jahrbuch 1978 des Instituts für deutsche Sprache. Düsseldorf 1979.

Siegfried Grosse, Wolfgang Mentrup (Hg.), *Bürger – Formulare – Behörde.* Tübingen 1980.

Claus Guntzmann, John Turner (Hg.), *Fachsprachen und ihre Anwendung.* Tübingen 1980.

Ingulf Radtke, *Die Sprache des Rechts und der Verwaltung.* Stuttgart 1981.

Hermann Bausinger, *›Mehrsprachigkeit‹ in Alltagssituationen.* In: Wortschatz und Verständigungsprobleme. Jahrbuch 1982 des Instituts für deutsche Sprache. Düsseldorf 1983, S. 17–33.

*Reportagen – ein Kapitel Sportsprache*

Olga Eckardt, *Die Sportsprache von Nürnberg und Fürth.* Diss. Erlangen 1936.
Manfred Bues, *Die Versportung der deutschen Sprache im 20. Jahrhundert.* Diss. Greifswald 1937.
Johannes Zeidler, *Die deutsche Turnsprache bis 1819.* Halle 1942.
Ludwig Dotzert, *Eine Lanze für den Sportjournalisten-Stil.* In: Presse und Sport. Jahrbuch des Verbandes Deutsche Sportpresse 1960. Frankfurt 1959, S. 24–27.
Werner Haubrich, *Die Metaphorik des Sports in der deutschen Gegenwartssprache.* Diss. Köln 1963.
Paul G. Buchloh, Peter Freese, *Nationale Tendenzen in der englischen und deutschen Presseberichterstattung zur Fußballweltmeisterschaft 1966.* In: Sprache im technischen Zeitalter 6/1967, S. 335–346.
Helmuth Plessner, Hans-Erhard Bock und Ommo Grupe (Hg.), *Sport und Leibeserziehung. Sozialwissenschaftliche, pädagogische und medizinische Beiträge.* München 1967.
Harald Dankert, *Sportsprache und Kommunikation. Untersuchungen zur Struktur der Fußballsprache und zum Stil der Sportberichterstattung.* Tübingen 1969.
G. S. Gerneth u. a., *Zur Fußballsprache.* In: Linguistik und Didaktik 7/1971, S. 200–218.
Lothar Quanz, *Der Sportler als Idol.* Gießen 1974.
Peter Schneider, *Die Sprache des Sports. Terminologie und Präsentation in Massenmedien.* Düsseldorf 1974.
Helmut Digel, *Sprache und Sprechen im Sport. Eine Untersuchung am Beispiel des Hallenhandballs.* Schorndorf 1976.
Wolfgang Brandt, *Zur Sprache der Sportberichterstattung in den Massenmedien.* In: Muttersprache 89/1979, S. 160–178.
Karl Riha, *Männer, Kämpfe, Kameras. Zur Dramaturgie von Sportsendungen im Fernsehen.* In: Helmut Kreuzer, Karl Prümm (Hg.), Fernsehsendungen und ihre Formen. Stuttgart 1979, S. 183–193.
Helmut Digel (Hg.), *Sport und Massenmedien.* Reinbek 1983.

*Fremdwörter und Puristen*

Hermann Fischer, *Von den bösen Fremdwörtern und dem guten Deutsch.* In: Das humanistische Gymnasium 1920, S. 60–71.
Heinrich J. Rechtmann, *Das Fremdwort und der deutsche Geist. Zur Kritik des völkischen Purismus.* Nürnberg 1953.
Wilhelm Dultz, *Fremdwörterbuch.* Berlin–Frankfurt–Wien 1965.
Klaus Heller, *Das Fremdwort in der deutschen Sprache der Gegenwart. Untersuchungen im Bereich der Gebrauchssprache.* Leipzig 1966.

Broder Carstensen, Hans Galinsky, *Amerikanismen der deutschen Gegenwartssprache*. Heidelberg ²1967.
Peter von Polenz, *Fremdwort und Lehnwort sprachwissenschaftlich betrachtet*. In: Muttersprache 77/1967, S. 65–80.
Peter von Polenz, *Sprachpurismus und Nationalsozialismus*. In: Germanistik – eine deutsche Wissenschaft. Frankfurt a. M. 1967, S. 111–165.
Hugo Moser (Hg.), *Sprachnorm, Sprachpflege, Sprachkritik* (= Sprache der Gegenwart Bd. 2). Düsseldorf 1968.
Herbert Drube, *Zum deutschen Wortschatz. Historische und kritische Betrachtungen*. München 1968.
Lutz Mackensen, *Traktat über Fremdwörter*. Heidelberg 1972.
Willi J. Eggeling, *Das Fremdwort in der Sprache der Politik*. In: Muttersprache 84/1974, S. 177–212.
Alan Kirkness, *Zur Sprachreinigung im Deutschen 1789–1871*. Tübingen 1975.
Jürgen Pfitzner, *Der Anglizismus im Deutschen*. Stuttgart 1978.
Peter Braun (Hg.), *Fremdwort-Diskussion*. München 1979.
Hermann Fink, *Angloamerikanisches der deutschen Gemein- und Werbesprache im Wortschatz von Kindern im Vorschulalter*. In: Muttersprache 89/1979, S. 349–376.
Heinz Weber, *Studentensprache*. Weinheim, Basel 1980.

*Werbesprache*

Vance Packard, *Die geheimen Verführer*. Düsseldorf 1958.
Emil Waas (Hg.), *Kuckucksuhr mit Wachtel. Reklame der Jahrhundertwende*. München 1967.
Joachim Stave, *Wörter und Leute. Glossen und Betrachtungen über das Deutsch in der Bundesrepublik*. Mannheim–Zürich 1969.
Klaus Horn, *Zur individuellen Bedeutung und gesellschaftlichen Funktion von Werbeinhalten*. In: Manipulation der Meinungsbildung, hg. von Ralf Zoll (= Kritik Bd. 4). Opladen 1971, S. 201–241.
Fritz Neske, Gerd F. Heuer, *Handlexikon Werbung & Marketing* (= Fischer Handbücher 6069). Frankfurt a. M. 1971.
Dieter Flader, *Pragmatische Aspekte von Werbeslogans*. In: Linguistische Pragmatik, hg. von Dieter Wunderlich. Frankfurt a. M. 1972, S. 341–376.
Jochen Möckelmann / Sönke Zander, *Form und Funktion der Werbeslogans*. Göppingen ²1972.
Ludwig Fischer, *Des Käufers Stellvertreter und sein Konterfei*. In: Sprache im technischen Zeitalter 1974, S. 261–293.
Franz Januschek, *Werbesprache erklärt aus ihrer Funktion und ihren Rezeptionsbedingungen*. Ebd. S. 241–260.
Peter Nusser (Hg.), *Anzeigenwerbung*. München 1975.

Ruth Römer, *Die Sprache der Anzeigenwerbung* (= Sprache der Gegenwart Bd. 4). Düsseldorf [5]1976.

Gustav Bebermeyer, Renate Bebermeyer, *Abgewandelte Formeln – sprachlicher Ausdruck unserer Zeit*. In: Muttersprache 87/1977, S. 1–42.

Brigitte Hauswaldt-Windmüller, *Sprachliches Handeln in der Konsumwerbung*. Weinheim, Basel 1977.

Rolf Lindner, *»Das Gefühl von Freiheit und Abenteuer«. Ideologie und Praxis der Werbung*. Frankfurt a. M., New York 1977.

Wolfgang Fritz Haug, *Kritik der Warenästhetik*. Frankfurt a. M. [7]1980.

*Sprache als Gruppenabzeichen*

Hans Ostwald, *Rinnsteinsprache. Lexikon der Gauner-, Dirnen- und Landstreichersprache*. Berlin 1906.

Arnold van Gennep, *Essai d'une théorie des langues spéciales*. In: Revue des Études Ethnographiques et Sociologiques 1/1908, S. 327–337.

L. Günther, *Die deutsche Gaunersprache und verwandte Geheim- und Berufssprachen*. Leipzig 1919.

Hans Lipps, *Sprache, Mundart und Jargon*. In: Blätter für deutsche Philosophie 9/1935–1936, S. 388–400.

Heinz Küpper, *Wörterbuch der deutschen Umgangssprache*.. Bd. 1–6, Hamburg 1955–1970.

Pierre Guiraud, *L'Argot*. Paris 1956.

Mario Wandruszka, *Der Geist der französischen Sprache*. Hamburg 1959.

J. Milton Yinger, *Contraculture and Subculture*. In: American Sociological Review 25/1960, S. 625–635.

Hugo Steger, *Gruppensprachen. Ein methodisches Problem der inhaltsbezogenen Sprachbetrachtung*. In: Zeitschrift für Mundartforschung 31/1964, S. 125–138.

Ernest Borneman, *Sex im Volksmund. Die sexuelle Umgangssprache des deutschen Volkes*. Reinbek 1971.

Marianne Küpper, Heinz Küpper, *Schülerdeutsch*. Hamburg, Düsseldorf 1972.

Hermann Bausinger, *Sprachmoden und ihre gesellschaftliche Funktion*. In: Gesprochene Sprache (= Sprache der Gegenwart Bd. 26). Düsseldorf 1974, S. 245–266.

Josef Veldtrup, *Bargunsch oder Humpisch. Die Geheimsprache der westfälischen Tiötten*. Münster i. W. 1974.

Hans-Günter Lerch, *Das Manische in Gießen: Die Geheimsprache einer gesellschaftlichen Randgruppe, ihre Geschichte und ihre soziologischen Hintergründe*. Gießen 1976.

Walter Schenker, *Modewörter als soziale Indikatoren*. In: ZDL 44/1977, S. 282–303.

Robert Jütte, *Sprachsoziologische und lexikologische Untersuchungen zu einer Sondersprache. Die Sensenhändler im Hochsauerland und die Reste ihrer Geheimsprache.* Wiesbaden 1978.
Heinz Küpper, *ABC-Komiker bis Zwitschergemüse: Das Bundessoldatendeutsch.* Wiesbaden 1978.

*Reden unter der Vereinsfahne*

Otto Elben, *Der volkstümliche deutsche Männergesang, seine gesellschaftliche und nationale Bedeutung.* Tübingen 1855.
Wolfgang Reiser, *Reden und Ansprachen zu festlichen Anlässen.* München o. J.
Erich Reigrotzki, *Soziale Verflechtungen in der Bundesrepublik.* Tübingen 1956.
*Der Verein. Standort, Aufgabe, Funktion in Sport und Gesellschaft.* Hg. von der Hamburger Turnerschaft von 1816 e. V. Schorndorf 1967.
Herbert Freudenthal, *Vereine in Hamburg. Ein Beitrag zur Geschichte und Volkskunde der Geselligkeit.* Hamburg 1968.
Hermann Glaser, *Das öffentliche Deutsch.* Frankfurt a. M. 1972.
Rudolf Birkl, *Vereinsreden. Musteransprachen und Hinweise für den Vereinsvorstand.* Stuttgart, München, Hannover [3]1975.
Christel Köhle-Hezinger, *Gemeinde und Verein.* In: Rheinisches Jahrbuch für Volkskunde 22/1978, 2. Halbband, S. 181–202.
Hans-Jörg Siewert, *Der Verein.* In: Hans-Georg Wehling (Hg.), Dorfpolitik. Opladen 1978, S. 65–83.

*Sprachklischee und Vorurteil*

Werner Betz, Karl Korn, Herbert Kolb, *Sprachphysiognomik?* In: Zeitschrift für Deutsche Wortforschung 18/1962, S. 173–183.
Gustav Korlén, *Zur Entwicklung der deutschen Sprache diesseits und jenseits des eisernen Vorhangs.* In: Sprache im technischen Zeitalter 4/1962, S. 259–280.
Karl Korn, *Sprache in der verwalteten Welt.* München 1962.
Max Horkheimer, *Über das Vorurteil.* Köln und Opladen 1963.
Friedrich Handt (Hg.), *Deutsch – Gefrorene Sprache in einem gefrorenen Land? Polemik, Analysen, Aufsätze.* Berlin 1964.
Willy Strzelewicz (Hg.), *Das Vorurteil als Bildungsbarriere.* Göttingen 1970.
Annamaria Rucktäschel (Hg.), *Sprache und Gesellschaft.* München 1972.
Uta Quasthoff, *Soziales Vorurteil und Kommunikation. Eine sprachwissenschaftliche Analyse des Stereotyps.* Frankfurt a. M. 1973.
Walther Dieckmann, *Politische Sprache, politische Kommunikation.* Heidelberg 1981.

Hans Jürgen Heringer (Hg.), *Holzfeuer im hölzernen Ofen. Aufsätze zur politischen Sprachkritik*. Tübingen 1982.
Bernd Estel, *Soziale Vorurteile und soziale Urteile*. Opladen 1983.
Benjamin Lee Whorf, *Sprache – Denken – Wirklichkeit*. Reinbek [4]1982.

# Quellenverzeichnis der Abbildungen

Die Ziffern bezeichnen die Buchseiten.

12 Kleine Enzyklopädie: Die Deutsche Sprache, hg. von Eberhard Agricola, Wolfgang Fleischer und Helmut Protze. 1. Bd. VEB Leipzig 1969, S. 406
15 Kleine Enzyklopädie: Die Deutsche Sprache, hg. von Eberhard Agricola, Wolfgang Fleischer und Helmut Protze. 1. Bd. VEB Leipzig 1969, S. 363
16 Württ. Sprachkarten, Blatt 2. Stuttgart 1930
17 Arno Ruoff: Mundart. In: Der Landkreis Tübingen. Amtliche Kreisbeschreibung. Bd. 1. Tübingen 1967, S. 355
21 Institut für Werbepsychologie und Markterkundung, Frankfurt am Main
24 Theodor Frings: Grundlegung einer Geschichte der deutschen Sprache. [3]1957, Karte 2/ = Hugo Moser: Deutsche Sprachgeschichte. Tübingen 1969, Karte 13/.
34 WDR
35 Hermann Bausinger/Fischer Taschenbuch Verlag
36 WDR
45 Karl Martin Bolte, Dieter Kappe, Friedhelm Neidhardt: Soziale Schichtung. Opladen 1966, S. 84
69 E. Göpfert: Die Bergmannssprache in der Sarepta des Johann Mathesius. Straßburg 1902, S. 72
70 Ernst Graf von Harrach: Die Jagd im deutschen Sprachgut. Stuttgart 1953, S. 72
78 Dieter Christoph: Olympische Sportarten in Regeln und Zahlen. Gütersloh 1971, S. 69
86 Pit Flick: Bomben ... Schüsse ... Steile Pässe. Bergisch Gladbach 1963
87 Pit Flick: Bomben ... Schüsse ... Steile Pässe. Bergisch Gladbach 1963
94 WDR
95 WDR
99 Verein für Sprachpflege Hamburg
100 Der Sprachpfleger 8/1970, S. 303 und Titelblatt
105 Neske/Heuer: Handlexikon Werbung & Marketing. Frankfurt am Main 1971, S. 45
112 Kuckucksuhr mit Wachtel. Reklame der Jahrhundertwende. München 1967, S. 85
114 Hermann Bausinger/Fischer Taschenbuch Verlag
116 Hermann Bausinger
117 Hermann Bausinger
123 Hans Ostwald: Rinnsteinsprache. Berlin 1906, S. 119
124 Hermann Bausinger/Fischer Taschenbuch Verlag
130 Heinz Küpper: Jugenddeutsch von A–Z. Hamburg 1970, S. 377
137 Stuttgarter Zeitung vom 4. August 1956

## Register

**Bitte umblättern:**

auf den nächsten Seiten informieren wir Sie über weitere interessante Fischer Taschenbücher.

Hansjürgen Blinn

# Informationshandbuch Deutsche Literaturwissenschaft

Band 7318

Das Informationshandbuch Deutsche Literaturwissenschaft informiert umfassend über die wichtigsten Bücher und Institutionen auf dem Gebiet der Literaturwissenschaft, Literaturdidaktik, Theaterwissenschaft und Medienkunde und führt zu weiteren Informationsquellen hin. Es nennt Spezialbestände und besondere Sammelgebiete der Bibliotheken und Archive im deutschsprachigen Raum. In Kurzkommentaren werden Literaturarchive, Spezialbibliotheken und Datenbanken vorgestellt. Lehr- und Forschungsinstitute, Arbeitsstellen und Institutionen der Literaturvermittlung werden mit ihren Adressen verzeichnet. Literatursoziologischen Fragestellungen kommt es durch die Nennung der wichtigsten Autoren- und Fachverbände, der überregional bekannten Literarischen Gesellschaften und der bedeutendsten Literaturpreise entgegen. – Die Einleitung vermittelt Grundkenntnisse im Bibliographieren, Recherchieren und in der Informationsermittlung. Buchtitel, deren Kenntnis schon für den Anfänger wichtig ist, sind durch besondere Kennzeichen hervorgehoben.

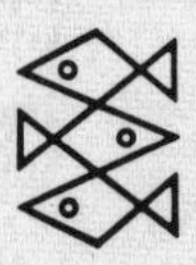

Fischer Taschenbuch Verlag

# KLASSIKER HEUTE

Erste Begegnung mit klassischer deutschsprachiger Literatur

Manch einem ist das Lesen der Klassiker in der Schule verleidet und so gründlich ausgetrieben worden, daß er später nie wieder Lust verspürte, »dergleichen« zu lesen. Daß uns die Werke klassischer Autoren auch heute noch sehr viel zu sagen haben und uns sehr direkt angehen, daß die Probleme, mit denen Menschen fertig werden müssen, damals wie heute ähnlich sind, macht die Reihe »Klassiker heute« deutlich. Sie will einen Zugang zur klassischen deutschsprachigen Literatur eröffnen – oder auch »wiederbeleben«.

Brigitte Dörrlamm
Hans-Christian Kirsch
Ulrich Konitzer
**Klassiker heute**
*Realismus und Nationalismus*
Band 3027

Brigitte Dörrlamm
Hans-Christian Kirsch
Ulrich Konitzer
**Klassiker heute**
*Die Zeit des Expressionismus*
Band 3026

Hans-Christian Kirsch
**Klassiker heute**
*Zwischen Klassik und Romantik*
Bd. 3024

Fischer Taschenbuch Verlag